Bianca

D1085854

EL CORAZÓN DEL
GUERRERO DEL DESIERTO

Lucy Monroe

HARLEQUIN™

Cualquier forma de reproducción, distribución, comunicación pública o transformación de esta obra solo puede ser realizada con la autorización de sus titulares, salvo excepción prevista por la ley.
Diríjase a CEDRO si necesita reproducir algún fragmento de esta obra.
www.conlicencia.com - Tels.: 91 702 19 70 / 93 272 04 47

Editado por Harlequin Ibérica.
Una división de HarperCollins Ibérica, S.A.
Núñez de Balboa, 56
28001 Madrid

© 2012 Lucy Monroe
© 2019 Harlequin Ibérica, una división de HarperCollins Ibérica, S.A.
El corazón del guerrero del desierto, n.º 2734 - 16.10.19
Título original: Heart of a Desert Warrior
Publicada originalmente por Harlequin Enterprises, Ltd.
Este título fue publicado originalmente en español en 2012

Todos los derechos están reservados incluidos los de reproducción, total o parcial. Esta edición ha sido publicada con autorización de Harlequin Books S.A.
Esta es una obra de ficción. Nombres, caracteres, lugares, y situaciones son producto de la imaginación del autor o son utilizados ficticiamente, y cualquier parecido con personas, vivas o muertas, establecimientos de negocios (comerciales), hechos o situaciones son pura coincidencia.
® Harlequin, Bianca y logotipo Harlequin son marcas registradas por Harlequin Enterprises Limited.
® y ™ son marcas registradas por Harlequin Enterprises Limited y sus filiales, utilizadas con licencia. Las marcas que lleven ® están registradas en la Oficina Española de Patentes y Marcas y en otros países.
Imagen de cubierta utilizada con permiso de Harlequin Enterprises Limited.
Todos los derechos están reservados.

I.S.B.N.: 978-84-1328-491-0
Depósito legal:M-27194-2019
Impreso en España por: BLACK PRINT
Fecha impresion para Argentina: 13.4.20
Distribuidor exclusivo para España: LOGISTA
Distribuidor para México: Distibuidora Intermex, S.A. de C.V.
Distribuidores para Argentina: Interior, DGP, S.A. Alvarado 2118.
Cap. Fed./Buenos Aires y Gran Buenos Aires, VACCARO HNOS.

MIXTO
Papel procedente de
fuentes responsables
FSC® C108412

Este libro ha sido impreso con papel procedente de fuentes certificadas según el estándar FSC, para asegurar una gestión responsable de los bosques.

Capítulo 1

PARECE como si estuvieras a punto de enfrentarte a un pelotón de fusilamiento –las palabras de Russell, su ayudante de campo, detuvieron a Iris cuando se disponía a bajar por la gran escalera del palacio.

Intentando disimular una mueca ante el sin duda acertado comentario, Iris miró al becario con una sonrisa forzada.

–Y tú parece que tienes hambre.

–En serio, solo es una cena, ¿verdad?

–Por supuesto.

Solo una cena.

En la que iban a conocer a la persona que sería su contacto mientras estuviesen en Kadar: Asad, el primo segundo, o algo así, del jeque Hakim, el mismo jeque de una tribu beduina local, los Sha'b al-Najid. Asad era un nombre árabe común que significaba «león».

Un nombre muy apropiado para un hombre destinado a ser jeque, ¿no? No había ninguna razón para pensar que ese hombre fuera a ser *su* Asad.

Ninguna razón aparte de la opresión que sentía en el pecho desde que el jeque Hakim mencionó el nombre de su contacto. Desde que aceptó ese trabajo en Oriente Medio, Iris había tenido una premonición de la que intentaba librarse.

Pero era imposible.

–No estoy seguro del todo –dijo Russell–. Cenar no será un eufemismo para «secuestro y trata de blancas», ¿verdad?

Tan ridículo comentario hizo reír a Iris.

–Mira que eres tonto.

Pero sus piernas se negaban a moverse.

–Un tonto encantador, debes admitirlo. ¿Y quién no querría secuestrarme? –le preguntó Russell, haciéndole un guiño.

Con su pelo rojo y su pálida piel, podría haber sido su hermano pequeño. Ojalá, pensó. Su infancia hubiera sido menos solitaria con un hermano.

Sus padres no eran malas personas, pero no estaban interesados en ella. Se sentían completos estando el uno con el otro. Trabajaban juntos, se divertían juntos, viajaban juntos y ninguno de esos planes la incluía a ella.

Iris nunca había entendido por qué decidieron tener hijos y había decidido que su llegada al mundo debía de haber sido uno de esos accidentes provocados por algún fallo en el método anticonceptivo.

Aunque ellos nunca le habían dicho nada.

No podía imaginar qué habrían hecho con un hijo como Russell, que se negaba a pasar desapercibido. Por mucho que se pareciesen, Russell habría llamado la atención mucho más que ella.

En cualquier caso, parecían estar emparentados. Él tenía pecas y ella no, y sus ojos eran verdes en lugar de azules, pero los dos eran pelirrojos, como su madre, con la barbilla cuadrada como su padre y la piel tan pálida como las arenas blancas de Nuevo México.

Con un metro setenta y ocho, Russell era de estatura normal para un hombre; como ella, que medía un metro sesenta.

Los dos tendían a vestir como los típicos empollones de ciencias que eran, aunque esa noche Iris se había puesto un vestido de color azul turquesa y una *pashmina* negra. En lugar de la típica coleta, se había sujetado el pelo en un elegante moño e incluso se había puesto rímel y brillo en los labios, aunque ella casi nunca se maquillaba. Pero iba a cenar con un jeque y su familia, después de todo.

Dos jeques, se recordó a sí misma.

Russell llevaba su versión de lo que era un atuendo formal: pantalón caqui y camisa Oxford en lugar de la típica camiseta y los vaqueros.

Aun así, ninguno de los dos podía ser descrito como una belleza e Iris sonrió ante su burlona arrogancia.

—Ninguna persona sensata se molestaría en secuestrarte.

Russell rio, sin mostrarse ofendido. Pero también sin poder disimular cierta aprensión que tal vez ella le había contagiado.

Pero no iba a pasar nada, se decía. Ella ya no era una ingenua estudiante universitaria, sino una geóloga profesional que trabajaba en una importante empresa de prospecciones geológicas.

—¿Entonces por qué esa cara tan larga? —le preguntó Russell, subiendo otro escalón—. Sé que intentaste evitar este encargo.

Era cierto, pero se había dado cuenta de que era una tontería. No podría cimentar su carrera, como era su deseo, rechazando ofertas interesantes en Oriente Medio solo porque una vez hubiese amado a un hombre que provenía de esa parte del mundo. Además, su jefe había dejado claro que aquella vez no había escapatoria.

–Estoy bien, solo un poco cansada del viaje –respondió Iris, obligando a sus pies a moverse.

No iba a pensar que el jeque Asad era su Asad. En absoluto. ¿Qué posibilidades había de que fuera el hombre que le había roto el corazón seis años antes? ¿El mismo hombre al que no había esperado volver a ver jamás?

Mínimas, ridículas.

Su Asad había sido parte de una tribu beduina y, como había descubierto a última hora, destinado a ser jeque algún día.

No sería el mismo hombre. Iris rezaba para que no fuese el mismo hombre.

Si era su Asad, o más bien simplemente Asad porque nunca había sido suyo y tenía que dejar de pensar en él de ese modo, no sabía cuál sería su reacción.

Además, ella quería afianzar su puesto como geóloga en Coal, Carrington & Boughton y no podía rechazar un encargo basándose en razones personales. Y mucho menos cuando ya estaba en el país.

No iba a cometer un suicidio profesional. Asad ya le había robado más que suficiente: su fe en el amor, su confianza en el futuro feliz y maravilloso que tanto había anhelado.

No iba a robarle también su carrera.

–¿Qué le dice el diamante a la veta de cobre?

El chiste de Russell interrumpió sus oscuros pensamientos.

Iris puso los ojos en blanco.

–Ese chiste es más viejo que la piedra. Y la respuesta es nada, los minerales no hablan.

Era un chiste malísimo, pero cuando Russell rio, Iris rio con él.

–Me alegra ver que sigues teniendo sentido del humor –la voz masculina, al pie de la escalera, no parecía divertida en absoluto.

De hecho, parecía irritado, pero Iris no tenía fuerzas para preocuparse por eso cuando el rico tono aterciopelado tenía el poder de acelerar su corazón y provocar escalofríos por todo su cuerpo. Cuando esa era la voz del hombre al que jamás creyó que volvería a ver.

Iris se detuvo en mitad de la escalera. Asad estaba mirándola, sus ojos de color chocolate tan intensos que sintió que se quedaba sin aire.

Había cambiado. Seguía siendo guapísimo y su pelo seguía siendo castaño oscuro, casi negro, sin una sola cana, pero en lugar de llevarlo corto como en la universidad, le llegaba casi hasta los hombros. Ese estilo debería haberle dado un aspecto más informal, menos formidable, pero no era así.

A pesar del traje de chaqueta italiano, parecía un guerrero del desierto: fuerte, capaz, totalmente seguro de sí mismo, peligroso.

La barba bien recortada aumentaba su atractivo... como si necesitase ayuda en ese departamento. Había ensanchado desde la universidad y su porte era el de un hombre poderoso. Con un metro noventa, siempre había tenido una presencia formidable, pero en aquel momento era un auténtico jeque del desierto.

Iris se obligó a sí misma a inclinar la cabeza a modo de saludo.

–Jeque Asad.

—¿Él es tu contacto? —murmuró Russell, recordándole que seguía allí.

Aunque no la ayudó nada. El joven becario no era competencia para Asad ni para los sentimientos que guardaba en su interior, en un rincón de su alma, donde los había enterrado cuando él la dejó.

Asad le ofreció su brazo, sin molestarse en mirar a Russell.

—Yo te acompañaré.

Iris tuvo que hacer un esfuerzo sobrehumano para mover las piernas y, por fin, consiguió bajar los escalones que faltaban. Pero como no se atrevía a tocarlo, en lugar de aceptar su brazo pasó a su lado para dirigirse al salón donde había visto antes al jeque Hakim, su mujer y sus adorables hijos.

Si tenía suerte, el comedor estaría en la misma zona del palacio.

—¿Sabes dónde vamos? —le preguntó Russell, desconcertado.

—Me parece que Iris nunca ha dejado que la falta de pruebas irrefutables le impidiese seguir adelante.

Ella se dio la vuelta para mirarlo, la furia y el dolor contenidos durante tantos años saliendo inesperadamente a la superficie.

—Incluso los mejores científicos pueden malinterpretar una prueba —le espetó, intentando recuperar la compostura—. Pero tal vez no te importaría indicarnos el camino.

De nuevo, él le ofreció su brazo y, de nuevo, Iris lo rechazó, sabiendo que estaba cometiendo un error de protocolo imperdonable.

—Tan testaruda como siempre.

Y le gustaría darle una bofetada, lo cual era sorprendente porque ella jamás había sido una persona violenta. Nunca, ni siquiera en el pasado, cuando Asad le hizo tanto daño.

—Esa es nuestra Iris, inamovible como un monolito —bromeó Russell.

Asad lo fulminó con la mirada, pero, como si no se hubiera dado cuenta, el joven becario sonrió, ofreciéndole su mano.

—Russell Green, intrépido ayudante de geólogo. Aunque algún día seré un geólogo con mi propio laboratorio.

Asad estrechó su mano, inclinando ligeramente la cabeza.

—El jeque Asad bin Hanif al-Najid. Seré el guía de vuestro equipo y vuestro protector mientras estéis en Kadar.

—¿Personalmente? —exclamó Iris, incapaz de disimular la angustia en su voz—. No es posible.

—¿Por qué?

—Tú eres un jeque...

—Lo hago como favor a mi primo. No se me ocurriría encargarle esa tarea a otra persona.

—Pero es innecesario —insistió Iris. No sobreviviría a las siguientes semanas si tenía que pasarlas en su compañía.

Habían pasado seis años desde la última vez que vio a aquel hombre, pero el dolor que le había causado seguía tan fresco como si hubiera ocurrido el día anterior. El tiempo debía curar las heridas, pero las suyas seguían sangrando después de tantos años.

Seguía soñando con Asad, aunque ella llamaba pesadillas a las imágenes que veía en esos sueños. Había amado y confiado en él, creyendo que por fin iba a tener la oportunidad de formar una familia, que por fin tendría un respiro a la soledad de su vida.

Pero Asad había traicionado sus esperanzas completa e irrevocablemente.

–Me temo que eso no está abierto a discusión –dijo Asad.

Iris negó con la cabeza.

–Yo no...

–¿Te encuentras bien? –le preguntó Russell.

Tenía que estar bien. Aquel era su trabajo, su carrera, lo único que le quedaba en la vida, lo único que le importaba y en lo que podía confiar.

Lo único que la traición de Asad le había dejado.

–Estoy bien. Y tenemos que reunirnos con el jeque Hakim.

Algo brilló en los ojos color chocolate de Asad, algo que parecía preocupación. Pero Iris no iba a creerlo, de ninguna manera.

Seis años antes, Asad no había sentido la menor preocupación al romper con ella y era absurdo pensar que iba a preocuparse cuando no eran mas que dos extraños con un breve pasado.

Sin decir nada, él se volvió y empezó a caminar en la dirección que ella había tomado antes de que la interrumpiera.

De modo que había acertado en aquella ocasión. A veces, su intuición daba en el blanco, al menos cuando no se trataba de juzgar a las personas.

–Asad nos ha contado que fuisteis a la misma universidad –la sonrisa de Catherine no contenía malicia alguna; al contrario, la miraba con un brillo de genuino interés en sus ojos azules.

Sin embargo, los recuerdos que evocaban sus palabras no eran felices para Iris, que tuvo que hacer un esfuerzo para sonreír.

—Sí, es cierto.

—Qué curioso que os conozcáis.

Entonces, Iris había pensado que era el destino. Estaba estudiando árabe como segundo idioma, una práctica común entre los estudiantes de arqueología y geología, pero a ella le había parecido algo más.

Estudiar el idioma nativo de Asad había sido como un lazo entre los dos, como si el destino hubiese querido unirlos.

Lo había visto como una bendición después de diecinueve años sintiendo como si no hubiera un sitio para ella, como si no le importase a nadie. Había pensado que a Asad le importaba, convencida de que estaban hechos el uno para el otro. Y se había equivocado de manera espectacular.

Asad no la quería para siempre, incluso más allá de unos cuantos meses.

Y no era suyo, en ningún sentido.

—Fue una casualidad...

Asad se había acercado a ella en una reunión de estudiantes y cuando le pidió que saliese con él, Iris estuvo a punto de dar saltos de alegría.

—En el país de Iris no hay distinción de clases —dijo Asad, cuando estuvo claro que ella no iba a decir nada más.

—Ni distinción por edad o condición social —asintió Russell—. Yo conocí a la hija de un multimillonario en mi facultad.

Iris había conocido a un jeque árabe, aunque entonces no lo sabía. Entonces era simplemente Asad

Hanif, otro estudiante extranjero de los muchos que había en la universidad.

–Era una chica muy simpática –estaba diciendo Russell–, pero no sabía cuál era la diferencia entre un sedimento y una roca ígnea.

–De modo que no era una amistad que pudiese prosperar –bromeó el jeque Hakim.

–Nuestra amistad sí prosperó –Asad miró a Iris como esperando a que ella le diese la razón, incluso después de que esa «amistad» se hubiera roto–. Aunque yo no sabía nada sobre geología e Iris no tenía el menor interés por la dirección de empresas.

–La amistad no duró y eso indica que nuestras diferencias eran más profundas de lo que creímos al principio –replicó ella, intentando que el comentario no sonase amargado o acusador.

Iris nunca se había considerado una buena actriz, pero esa noche estaba retando a Kate Winslet con su interpretación. Mientras tomaban unos aperitivos antes de la cena y durante el primer plato había intentado que ni su anfitrión, el jeque de Kadar, ni su mujer, que de inmediato había dicho: «Llamadme Catherine, por favor», notasen la angustia que sentía.

Asad dejó el tenedor sobre su plato de ensalada.

–Los jóvenes a menudo son insensatos.

–Tenías cinco años más que yo –le recordó Iris. Y mucha más experiencia.

Él se encogió de hombros, con ese gesto que conocía tan bien. Esa era su respuesta cuando algo no le interesaba demasiado o cuando no tenía una respuesta concreta.

–Espero que mis palabras no te hayan hecho creer que estoy interesada en retomar esa amistad –Iris sintió un escalofrío de angustia al imaginarlo–. No es así. Estoy aquí para trabajar –añadió, encogiéndose de hombros como había hecho él, aunque no le resultaba fácil mostrarse tan despreocupada.

Nunca había podido mostrarse indiferente cuando se trataba de Asad, pero daba igual. Estaba en Kadar para trabajar y luego volvería a su vida en Estados Unidos.

Y no pensaba volver a Kadar. Nunca.

Por muy lucrativo que fuese el contrato que le ofrecieran, aunque de ello dependiera un ascenso.

–Sería una pena haber venido hasta aquí y no disfrutar de la cultura local.

Los ojos de Asad se clavaron en los suyos. Iris recordaba bien esa mirada y su corazón se encogió. Después de todo lo que había ocurrido entre ellos y en la vida de Asad desde su ruptura...

–Seguro que vivir con tu tribu será la oportunidad perfecta para experimentar nuestra cultura –dijo Catherine, con una sonrisa dirigida primero a Asad y luego a Iris–. A mí me encanta alojarme con los beduinos en la ciudad de jaimas. Es un estilo de vida tan diferente... tan romántico –añadió, haciéndole un guiño a su marido al que el jeque Hakim respondió con una mirada de adoración.

Eran una pareja que se amaba tanto como se habían amado sus padres, pero que querían a sus hijos con igual, aunque diferente, intensidad. La propia Catherine se lo había dicho...

Pero entonces Iris se dio cuenta de algo.

–¿Vamos a alojarnos con la tribu del jeque Asad? –preguntó, sorprendida–. Yo pensé que nuestra base de operaciones estaría aquí...

En el precioso palacio árabe que seguía pareciendo un hogar a pesar de su tamaño y su ostentación.

–Nuestro campamento está más cerca de la región montañosa que vais a explorar –dijo Asad, con un inexplicable tono satisfecho.

Capítulo 2

ALOJAROS con los Sha'b al-Najid os ahorrará mucho tiempo y, sobre todo, muchos viajes –dijo el jeque Hakim.

–Pero...

–Os encantará –intervino Catherine–. Asad ha llevado a su tribu en una dirección diferente a la que tomó su abuelo, pero su modo de vida sigue pareciéndose al que tenían hace mil años. Será una experiencia asombrosa, te lo aseguro.

Para Iris sería como estar en el purgatorio, pero el campamento solo sería su base de operaciones, intentó decirse a sí misma.

–Seguro que será interesante –mintió–. El tiempo que pasemos allí, claro.

Catherine la miró, interrogante.

–No sé si te entiendo.

–Durante los trabajos de campo, mientras hacemos el tipo de prospección que Kadar ha pedido a CC&B, el equipo pasa la mayor parte del tiempo en una tienda de campaña en medio de ninguna parte –le explicó Iris.

En realidad, daría igual que la base de operaciones estuviera en el palacio o un campamento beduino.

–No vas a dormir en una tienda de campaña en medio del desierto con un cachorro por toda compañía

–la voz de Asad, posesiva y autoritaria, no admitía discusión.

Y dejó a Iris perpleja. No entendía que se mostrase tan posesivo cuando era un hombre casado.

Pero debería haberlo imaginado.

Ella era la primera en admitir que juzgar a la gente no era su fuerte y, sin embargo, sintió un escalofrío de aprensión por la espina dorsal.

–No vamos a compartir el saco de dormir, solo la tienda –intervino Russell, sin duda intentando calmar cualquier sensibilidad conservadora.

Y estropeándolo aún más, pensó Iris.

Las facciones de Asad se habían convertido en una máscara más parecida a la de sus antepasados guerreros que a la de un hombre moderno. Y la mirada que lanzó sobre Russell hizo que su «intrépido» ayudante se encogiera en la silla.

–No es aceptable.

Solo tres palabras, pero pronunciadas con total autoridad y en un tono que Asad solo había usado una vez estando con ella.

Cuando le dijo que no había futuro para ellos.

Russell hizo una mueca, Catherine miró de unos a otros con gesto preocupado y el corazón de Iris se encogió de pena mientras intentaba fingir indiferencia.

El jeque Hakim frunció el ceño.

–Mi primo tiene razón. No sería seguro ni apropiado que acampaseis de ese modo.

Iris veía su ruta de escape desapareciendo, pero no iba a rendirse sin luchar.

–Te aseguro que he hecho muchos trabajos de campo en Estados Unidos y en Europa y jamás he tenido el menor problema.

Pero no había estado nunca en Oriente Medio.

–Yo soy responsable de vuestra seguridad mientras estéis en mi país –insistió el jeque Hakim–. Asad tiene razón, que dos personas acampen en la montaña es inaceptable.

Asad la miraba con una expresión que Iris conocía bien. La había mirado con esa misma expresión cuando le dijo adiós.

–Como he dicho antes, yo me encargo de vuestra seguridad.

–Nuestra seguridad no es responsabilidad tuya.

–Al contrario, yo he decretado que lo sea –la sonrisa del jeque Hakim había desaparecido.

Y el jeque era un cliente muy importante. Estaba pagando una fortuna a CC&B por esa prospección, de modo que Iris tenía que aceptar que las cosas se hicieran a su manera. O rechazaba el trabajo o aceptaba las condiciones, incluyendo que Asad fuera su contacto con las tribus beduinas del desierto.

Pero Iris ya había aceptado que rechazar el trabajo no era una opción antes de salir de Estados Unidos.

–No tener un campamento móvil podría hacer que tardásemos más tiempo en la toma de muestras iniciales y las mediciones –le advirtió.

–La velocidad no es siempre lo más deseable –replicó el jeque Hakim, implacable–. Vuestra seguridad es lo primero.

–¿Se sentiría más cómodo si el jefe de la expedición fuese un hombre? –le preguntó ella, viendo una posible salida. Si el jeque respondía afirmativamente, su carrera no tenía por qué verse afectada, sencillamente sería una víctima de la situación. Todo el mundo sabía que en algunas partes del mundo no eran capaces de lidiar con mujeres profesionales–. Mi jefe podría enviar a un geólogo si lo prefiere.

–No, en absoluto. Estoy seguro de que tu trabajo será más que aceptable –respondió el jeque Hakim.

Russell la miraba como si se hubiera ofrecido a bailar desnuda sobre la mesa. Bueno, normalmente ella lucharía con uñas y dientes para no ser reemplazada por una cuestión de género, pero aquellas eran circunstancias especiales.

–Me sorprende que te hayas ofrecido –Asad parecía tan incrédulo como su ayudante–. La mujer a la que yo recuerdo no aceptaría jamás que un hombre pudiera ser mejor geólogo que ella.

–Yo no he dicho que un geólogo pudiera ser mejor que yo. Solo quería saber si el jeque Hakim se sentiría más cómodo con un hombre. No es lo mismo.

–No, claro que no. Fuiste la primera de tu promoción, ¿verdad?

–Me sorprende que sepas eso –dijo Iris. Claro que podría haber estado incluido en la información que CC&B había enviado al jeque.

Asad volvió a encogerse de hombros.

–Estoy al tanto de tu carrera.

Ella no lo creía. No había vuelto a saber nada de él desde que se marchó de la universidad, aunque un amigo común le había contado que Asad se había casado un año después de volver a su país.

Iris había pasado el fin de semana llorando, incapaz de concentrarse en los estudios por una vez en su vida, incapaz de contener el dolor y la pena.

Pero después se había hecho fuerte, decidida a no dejar que nada ni nadie se interpusieran con el único sueño que le quedaba. Incluso siguió estudiando árabe, aunque hasta aquel momento no había tenido oportunidad de usarlo más que en algunas traducciones o llamadas telefónicas.

–Me sorprende que tu esposa no esté contigo –dijo, para cambiar de tema y para recordarse a sí misma que aquel hombre no debía afectarla en ningún caso.

Fueran cuales fueran las circunstancias por las que tuviera que pasar durante las próximas semanas.

Además, ¿dónde estaba su esposa? ¿Qué mujer preferiría quedarse en un campamento beduino cuando podía estar en un lujoso palacio árabe? ¿Y qué le parecería a su esposa que Asad estuviera dispuesto a proteger y guiar a su antigua novia?

Claro que era una pregunta tonta porque la mujer de Asad no sabría absolutamente nada de ella.

Como Iris no sabía nada sobre la princesa Badra cuando estaba acostándose con Asad.

Él sí lo sabía, en cambio. Había sabido desde el principio que no había futuro para esa relación porque iba a casarse con una virginal princesa, no con la estudiante americana de geología con la que se había acostado durante diez meses.

Pero la había seducido de todas formas, tratándola como una novia cuando en realidad no era más que su amante.

Una anticuada palabra para una fea y anticuada posición que ella no hubiese aceptado nunca de haber sabido la verdad. O eso se decía a sí misma.

Pero lo más doloroso de todo, lo que la había hecho despertar en medio de una pesadilla muchas veces, era que aunque hubiera sabido desde el principio que no había futuro para ellos, la ingenua chica de diecinueve años seguramente no habría podido decirle que no...

–Mi esposa murió hace dos años –la voz de Asad interrumpió sus pensamientos, dejando a Iris sorprendida.

–Lo siento mucho.

Él no dijo nada, mirándola con una expresión que Iris no pudo descifrar.

La habitación y la gente con la que estaban cenando desaparecieron por un momento mientras sus ojos se encontraban.

Asad casado era aterrador, ¿pero Asad viudo?

La idea hacía que su corazón, que nunca había curado del todo, latiese aterrorizado.

Las aspas del helicóptero se movían sobre sus cabezas, el ruido haciendo imposible mantener una conversación. Asad se había cansado de hablar con su primo y los demás por la noche, cuando lo único que quería era sacar a Iris del comedor y llevarla a algún sitio donde pudieran estar solos.

Había tenido que hacer un esfuerzo sobrehumano para no ir a verla a su habitación, pero tenía que seguir el plan que se había trazado; un plan que tendría más posibilidades de éxito cuando Iris viviese en el campamento.

La animosidad que mostraba hacia él lo sorprendía. Habían pasado seis años... no podía seguir enfadada por la ruptura, aunque abrupta, de su relación.

Si tuviera que hacerlo de nuevo lo haría de otra manera, desde luego. Pero cuando estaban juntos no sabía que Iris creyera que había un futuro para ellos. Había pensado que, como él, sabía que su relación no podía ser algo permanente.

No había contado con su punto de vista occidental sobre la condición femenina ni con su ignorancia sobre su verdadera identidad. Arrogantemente, había creído que todo el mundo sabía que algún día sería un jeque. Después de todo, no era un secreto para nadie.

Pero Iris no era dada a cotilleos de ese tipo y, además, era una seria estudiante que sabía poco sobre los demás alumnos de su facultad y mucho menos sobre los que no estudiaban geología.

Cuando le dijo que lo amaba lo había aceptado como algo natural; la respuesta habitual de una mujer que mantenía una relación sexual con un hombre, pero no había creído que lo dijese de corazón.

Asad seguía sin creer en el amor eterno, aunque el matrimonio de su primo con Catherine era algo especial. Incluso él se daba cuenta.

Nada que ver con su propio matrimonio, que no había sido más que una serie de mentiras y subterfugios. Aun así, debería haber sido más compasivo cuando tuvo que romper la relación.

Nunca admitiría en voz alta que se había apartado bruscamente de ella como resultado de unos sentimientos a los que no estaba acostumbrado y con los que no sabía lidiar. Se había encariñado con ella mucho más de lo que esperaba y sabía que Iris, más que nada o nadie, sería capaz de destrozar sus bien elaborados planes.

Y por eso había intentado olvidarse de ella hasta su fatídica noche de boda, cuando quedó claro que Badra lo había engañado.

Iris no era virgen, pero sí sincera, leal y sorprendentemente inocente. Él había creído que Badra era virgen, pero era una mentira de proporciones monumentales, como todo en ella. La mujer que se consideraba a sí misma demasiado importante para ser la esposa de un jeque beduino lo había engañado y Asad no había sabido nada hasta su noche de bodas.

Aun así, su furia contra Badra había ido desapareciendo con el tiempo. Su relación era inexistente y cuando murió, lo único que sintió fue cierta tristeza por su hija, que veía menos a su madre que muchos diseñadores de París o Milán.

Una vez casado, había sido incapaz de olvidar a Iris, tal vez porque habían sido tanto amigos como amantes. Seguía sus progresos en el mundo de la geología, pero nunca había vuelto a ponerse en contacto con ella personalmente. Él no era Badra. Él no engañaba. Y no entendía la furia que Iris apenas podía disimular después de tanto tiempo.

Ella estaba mirando por la ventanilla del helicóptero, dándole la espalda, pero él cambiaría eso. Habían pasado seis años, dos desde la muerte de su esposa. Tiempo suficiente para hacer todo lo que tenía planeado. Y no esperaría más.

Las montañas parecían más cerca de lo que lo estaban en realidad mientras el helicóptero descendía para aterrizar en medio del desierto.

–¿Dónde están los camellos? –preguntó Russell, mirando alrededor.

Asad no respondió. No le gustaba que el joven se dirigiese a Iris con tanta familiaridad, aunque dudaba que mantuvieran una relación aparte del trabajo.

Cuando le ofreció su mano para bajar del helicóptero, ella la miró como si fuera una serpiente a punto de morderla, pero al final la aceptó apretando los dientes.

—Bienvenida al campamento beduino del siglo XXI.

Iris miró el helipuerto y el enorme coche, que casi parecía un tanque, aparcado a un lado.

—Veo que los camellos ya no son utilizados como medio de transporte. ¿Pero un Hummer?

Asad se encogió de hombros.

—¿Qué puedo decir? Nuestra tribu es más rica que la mayoría.

—¿Por qué?

—Mi tatarabuelo compró los derechos de las tierras que recorren nuestra habitual ruta, tierras que están en tres países diferentes, para que nuestra tribu siempre tuviera sitio en el que acampar. Entonces lo hizo por los problemas políticos entre las diferentes naciones, pero la verdad es que rara vez levantamos un campamento fuera de Kadar.

—¿Pero ganáis dinero con los derechos de esas tierras?

—Así es –respondió Asad. Esas tierras, una vez tan hermosas, estaban llenas de ruidosas y sucias explotaciones petrolíferas. Él nunca podría vivir allí–. Encontramos petróleo hace unos años.

—Ah, qué suerte.

—Algunos dirían eso.

—Imagino que todo el mundo diría eso.

Él se volvió para indicar a sus hombres que llevasen el equipaje de los geólogos al Hummer, pero se aseguró de que Russell viajase en otro coche.

El campamento Sha'b al-Najid no era lo que Iris había esperado. Levantado a la sombra de una pequeña cordillera al sur de Kadar, de verdad parecía la ciudad de jaimas a la que Catherine se había referido.

–Tus pozos de petróleo deben de producir mucho.

–Lo suficiente como para financiar nuestras necesidades básicas.

–¿Solo las básicas?

–Mi abuelo invirtió sabiamente y yo he continuado la tradición, aunque tal vez no tan modestamente como él –respondió Asad, con un brillo de orgullo en sus ojos–. Aunque seguimos haciendo aquello por lo que mi tribu es famosa.

–¿Y es? –preguntó Iris, su curiosidad más fuerte que el deseo de evitar cualquier conversación con él.

–Como sabes, somos conocidos por nuestra hospitalidad. Mi tribu ofrece a turistas locales y extranjeros la posibilidad de vivir la vida de un beduino. Los Sha'b al-Najid siguen haciendo caravanas por el desierto y, por un módico precio, cualquiera puede unirse a la aventura.

–¿Como un rancho para turistas? –exclamó ella, incrédula.

–Nunca he estado en uno de ellos, pero creo que debe de ser algo similar. Esas visitas ofrecen a mi gente la oportunidad de seguir con su estilo de vida milenario y sus tradiciones mientras otros disfrutan también de la experiencia.

–Eso suena como el folleto de una agencia de viajes.

–He escrito más de uno.

A pesar de sus sentimientos hacia él, Iris esbozó una sonrisa.

–No puede ser muy tradicional si hay Hummers en lugar de camellos.

–Te aseguro que seguimos teniendo camellos.

–¿Seguís moviendo los campamentos?

–Dos veces al año, en lugar de una vez por temporada.

–¿Y siempre en los límites de Kadar?

–Sí –respondió Asad–. También en eso somos diferentes, pero es preferible a lo que hacen otras tribus, que se han instalado de forma permanente en tierras cedidas por el gobierno.

–Ah, entiendo –murmuró Iris. Aunque no estaba segura de entenderlo y temía que él notase su incertidumbre.

–Dentro del campamento encontrarás cosas modernas mezcladas con otras más tradicionales –siguió Asad. Y parecía orgulloso de ello.

–¿Esos son cables eléctricos? –le preguntó ella, atónita, señalando unos cables negros serpenteando en la arena.

–Sí, lo son. Tenemos paneles solares colocados estratégicamente –Asad señaló hacia la falda de las montañas, un sitio que sin duda era ideal para recibir la exposición solar.

Increíble.

–¿Entonces puedo usar mi ordenador?

–Es mejor que cargues la batería entre uso y uso. Tenemos una capacidad limitada y debemos tomar ciertas medidas, pero incluso hay una televisión comunitaria.

–No sabía que hubiera tal cosa en un campamento beduino –dijo Iris–. Pensé que la gente se relacionaba a la antigua, en jaimas individuales o fuera, frente a una hoguera.

–La jaima comunal fue creada para los turistas, pero también mi gente disfruta de la televisión. Algunos programas americanos y británicos son muy populares aquí –Asad se encogió de hombros, como diciendo que uno no podía luchar contra el progreso–. Te confieso que a mí me gustaba *Ley y orden* cuando volví a casa, hace seis años.

Solían ver ese programa juntos. Él lo llamaba su entretenimiento semanal y, aunque a Iris no le gustaba demasiado, había visto la serie para pasar tiempo con él.

–¿Sigues viendo la serie? –le preguntó Asad.

–No.

–Nunca fue tu favorita.

–No –repitió ella, aunque no había dejado de verla hasta que fue cancelada.

–Pero la veías, por mí.

Recordar esas cosas empezaba a hacer que Iris se sintiese incómoda.

–Admito que esto no es lo que yo esperaba –le dijo, señalando alrededor.

–¿Esperabas algo en particular?

–Por supuesto. Sería muy mala geóloga si no hubiera investigado la zona que iba a explorar.

–Pero no sabías que vendrías a un campamento beduino.

–Cuando vas a hacer un trabajo de campo nunca sabes dónde vas a terminar.

No era una mentira del todo, pero tampoco la admisión que él esperaba.

–Hace seis años, ninguno de los dos habría sospechado que vendrías aquí.

En realidad, Iris sí lo había pensado... hasta que Asad rompió con ella. Pero no tenía interés en recordar los meses que habían pasado juntos.

–Has dicho que algunas cosas siguen haciéndose a la manera tradicional.

–Muchas cosas.

Iris vio a qué se refería cuando entraron en una enorme jaima en el centro del campamento. A la entrada había una especie de sala de recepción o salón y una cortina con dos pavos reales bordados, sus colas abiertas mostrando las preciosas plumas de colores por las que eran conocidos. Sin evidencia de la infame televisión, Iris tuvo que suponer que aquella no era la jaima comunitaria de la que Asad le había hablado antes.

En el suelo había ricas alfombras persas y, en lugar de sillas, lujosos cojines de seda, terciopelo y damasco con bordados de hilo de oro alrededor de mesas bajas. Y aunque por fuera las paredes de la jaima estaban hechas del típico pelo negro de cabra, por dentro estaban forradas de ricas sedas.

–¿Russell y yo nos alojaremos aquí? –le preguntó, con un extraño presentimiento.

Aquella no era una jaima beduina normal. Considerando el lujoso interior, no tenía la menor duda de que era propiedad particular del jeque Asad bin Hanif al-Najid.

–Tú te alojaras aquí. Russell se alojará en otra jaima.

–¿Qué es esto, un harén o algo así? –bromeó Iris.

–Es mi casa –respondió Asad.

Capítulo 3

NO VOY a alojarme en tu jaima –dijo Iris.

–Ya ha sido decidido. Tus aposentos están detrás –Asad señaló la cortina de seda azul–. Mi difunta esposa insistió en que hubiera varias divisiones en la zona de las mujeres, así que tendrás tu propia habitación en lugar de compartir todo el espacio con las otras mujeres solteras de la familia.

–¿Otras mujeres solteras? –repitió ella.

–Mi hija y una prima lejana.

–No puedo alojarme aquí contigo.

–Te aseguro que sí puedes.

–Compartiré una jaima con Russell –insistió Iris.

A Asad no le gustó nada esa sugerencia. En absoluto. Su expresión se oscureció.

–No lo harás.

–Pero es lo más lógico.

Y, además, de ese modo no pondría a prueba su cordura, por no hablar de su corazón.

–Lo siento, no es aceptable.

–Tú y tu primo, el jeque Hakim, tenéis una gran afinidad por esa palabra, ¿no? –murmuró Iris, sintiendo como si la alfombra persa bajo sus pies fuesen arenas movedizas.

–Te quedarás aquí –insistió él, con un tono que no admitía réplica.

–¿Por qué es mejor quedarme aquí contigo que compartir una jaima con Russell?

–Como he dicho, mi hija y mi prima comparten esta jaima, pero también mis abuelos.

Iris estaba cada vez más sorprendida.

–¿Tu abuelo vive?

–Sí, claro.

–Pero tú eres el jeque.

–¿Creías que tenía que matar a mi antecesor para convertirme en jeque? –replicó él, burlón–. No, todo es mucho más prosaico. Mi abuelo se retiró y estos días disfruta de más libertad, como cualquier hombre jubilado.

–¿Se retiró?

–Sí.

–Pero eso es...

Sabía que no era raro que la segunda generación se hiciese cargo de las responsabilidades de un jeque cuando el anterior era muy mayor. ¿Pero referirse a ello como una jubilación? Era un término tan... moderno.

–Así son las cosas. El mundo cambia.

Esas palabras fueron pronunciadas por una mujer mayor, que entró en el salón con una bandeja de té.

Vestida con el tradicional traje beduino, el pañuelo bordado que llevaba en la cabeza no escondía por completo su largo cabello. Su rostro, arrugado por el sol y el paso de los años, seguía siendo hermoso, aunque su piel era más pálida que la de Asad y sus rasgos parecían europeos.

–Abuela, te presento a la señorita Iris Carpenter –Asad inclinó la cabeza, señalando a Iris con la mano derecha–. Iris, mi abuela, *lady* Bin Hanif.

–Prefiero que me llames Genevieve –se apresuró a decir la mujer.

–Es un nombre francés, ¿verdad?

–Así es. Aunque mi familia lleva casi dos siglos viviendo en Suiza –respondió ella–. Conocí a mi marido cuando los dos estudiábamos en París y me convenció para que dejase el mundo que conocía y viviese entre los beduinos –Genevieve sonrió mientras dejaba la bandeja en una de las mesitas–. Y nunca lo he lamentado. Los Sha'b al-Najid se convirtieron en mi gente.

–Y mi abuela se convirtió en la favorita para muchas generaciones.

Iris sonrió.

–Es un placer conocerte, Genevieve.

–Ven, siéntate –la mujer indicó unos almohadones en el suelo–. Siempre es un placer conocer a una amiga de mi nieto.

A punto de negar que fuese su amiga, Iris lo pensó mejor. Además, sospechaba que Genevieve era el tipo de mujer que exigiría una explicación.

–Nos conocimos durante unos meses en la universidad –le aclaró sin embargo, para dejar claro que no había nada entre ellos.

Genevieve sirvió el té en finas tazas de porcelana pintadas con dibujos árabes.

–Y, sin embargo, tengo entendido que esos meses causaron un gran impacto en mi nieto.

Iris se volvió para mirar a Asad. ¿Le había hablado a sus abuelos de su aventura con ella?

Él negó discretamente con la cabeza, como diciendo que no les había contado los detalles íntimos de la relación.

–Mi nieto no habla de casi nadie de la universidad,

pero Iris, la joven geóloga... oímos muchas cosas sobre lo inteligente que eras –Genevieve tomó un sorbo
de té–. Claro que a su difunta esposa no le gustaba que
lo recordase.

Absolutamente perpleja al saber que Asad le había
hablado a su familia de ella, incluso a su difunta esposa, Iris tomó un sorbo de té. Caliente, fuerte y muy
dulce, tenía un sabor ahumado que le recordaba al té
Earl Grey y, sin embargo, era totalmente diferente. Sabía a... ¿salvia, hierbabuena?

–Es delicioso. Ahora entiendo por qué el té de los
beduinos es tan famoso.

–Pero hay que saber hacerlo –dijo Genevieve–. Lo
hacemos sobre una lumbre de leña, no en una cocina
de gas.

Iris miró hacia la cortina azul. ¿Había una lumbre
de leña dentro de una tienda hecha de lana de cabra?

–No te preocupes, está bajo un toldo, detrás de la
jaima –le explicó Asad, al ver su expresión asustada.

Seis años antes, él la conocía mejor que nadie y era
capaz de intuir cuándo estaba asustada o preocupada.

Genevieve sonrió, dándole una palmadita en el brazo.

–No te preocupes, pronto te acostumbrarás a nuestras cosas.

–Mi mentor en la universidad siempre decía que un
buen geólogo debía ser capaz de aclimatarse a cualquier sitio para que nada estorbase la precisión de su
trabajo.

–El profesor Lester era un hombre muy sabio –dijo
Asad.

–¿Cómo sabes que estaba hablando de él?

–Mi nieto lo recuerda todo, ¿verdad? –Genevieve
rio suavemente.

–Sí, desde luego.

Asad tenía una memoria fotográfica y no le costaba nada estudiar para los exámenes. Incluso había ayudado a Iris a estudiar para los suyos.

Los ojos de Genevieve brillaban de orgullo mientras miraba a su nieto.

–Eso lo convierte en un buen jeque y un buen asesor político para mi sobrino nieto, Hakim, el gobernante de Kadar.

–¿Eres uno de los asesores del jeque Hakim? –le preguntó Iris, guardando la información sobre el parentesco entre Genevieve y el jeque para futuras referencias.

Él se limitó a asentir con la cabeza antes de tomar un sorbo de té.

Pero Genevieve era más habladora:

–En cualquier caso, Asad ha demostrado ser sabio al combinar nuestras ancestrales tradiciones con el mundo moderno en el que debemos vivir y Hakim le escucha siempre. Fue idea suya contratar a tu empresa para hacer la prospección mineral y pedir que te enviasen a ti a Kadar.

Asad miró a su abuela, exasperado, mientras Iris miraba de uno a otro, boquiabierta.

–¿Tú eres la razón por la que no se me dio opción de rechazar este encargo? –exclamó después.

Asad, como siempre, se limitó a encogerse de hombros.

Ella abrió la boca para decir que esa no era respuesta suficiente, pero su abuela se adelantó.

–¿Por qué ibas a rechazar el encargo?

Iris recordó dónde estaba y por qué estaba allí, intentando contener su enfado.

–Aún no he hecho ninguna prospección en Oriente Medio y lo lógico era que hubiese venido un geólogo especializado en esta zona del mundo.

–Tonterías. Si Asad cree que tú eras la mejor elección, estoy segura de que así es. Y supongo que ha llegado el momento de que amplíes tu currículum.

Iris no podía negarlo. Jamás llegaría a jefa del departamento de geología sin tener experiencia en Oriente Medio; una de las cosas que su jefe le había repetido cuando insistió en que debía ir a Kadar.

Pero eso no la hacía sentir mejor. Asad había insistido en que fuese ella personalmente...

Claro que era un hombre con una agenda oculta. Y, si hubiera sabido eso cuando estaban saliendo juntos, no se habría llevado tal desilusión al saber que estaba prometido con la princesa Badra.

¿Cuál sería su plan ahora?

Iris intuía que tenía algo que ver con ella. Y como lo único que quería de ella era su cuerpo, tal vez pretendía retomar su aventura.

Al menos, durante el tiempo que estuviera allí.

¿Por qué no? Se había acostado con él nada más conocerlo. Prácticamente virgen, había hecho el amor con Asad... no, había mantenido relaciones sexuales con él en la primera cita. Estaba abrumada por lo que sentía por él y creía que Asad sentía lo mismo.

Y aunque después supo que no era así, no podría decir con toda seguridad que eso hubiera cambiado algo.

–¿Dónde está tu padre? –le preguntó, desesperada por cambiar de tema. ¿Y por que no era él el jeque?

Enseguida se preguntó si habría muerto y deseó haberse mordido la lengua. Particularmente después de

la noche anterior, cuando le preguntó por su esposa.
Pero era demasiado tarde para hacer algo más que esperar que la respuesta no fuera la misma.

–No vive con la tribu. Se encarga de controlar nuestros intereses en Europa desde Ginebra.

–¿Tu padre vive en Ginebra? –repitió Iris. Claro que, considerando que tenía familia allí, no era tan sorprendente.

Aun así, le parecía raro que Asad fuese el jeque de una tribu nómada mientras su padre vivía en una de las ciudades más sofisticadas de Europa.

–Su madre, su hermana y sus dos hermanos también viven allí –intervino Genevieve, aunque no parecía muy contenta.

Iris miró a Asad, atónita.

–¿Tienes hermanos?

Nunca los había mencionado. Seis años antes, Asad le había ocultado muchas cosas y que ninguno de sus hermanos viviera entre los beduinos era casi más sorprendente que su propia existencia.

–Así es.

–Pero...

Genevieve volvió a llenar su taza, sin preguntarle si quería más té. Algo en su expresión le decía que aquella conversación no era agradable para ella.

Asad se recostó en los almohadones, como un pachá.

–Te estás preguntando por qué no viven con la tribu.

–Si tus padres viven en Ginebra, supongo que es natural que tus hermanos vivan con ellos.

–Ya tienen edad para tomar sus propias decisiones sobre dónde quieren vivir y han elegido vivir en Europa.

Iris no sabía qué decir a eso. Entendía que la forma de vida de los beduinos no era para todo el mundo, pero que sus hermanos le hubieran dado la espalda a una forma de vida milenaria le parecía extraño.

–Con objeto de obtener permiso para dejar la tribu, mi padre tuvo que aceptar que mi abuelo me nombrase a mí como jeque y responsable de mi gente –siguió Asad–. Por eso me llamo Bin Hanif en lugar de Bin Marghub. Aunque mi padre no usa ya el nombre de la tribu. Se hace llamar Jean Hanif.

En la cultura occidental, el parecido entre los apellidos mostraría una evidente conexión familiar, pero que Asad no llevase el nombre de su padre era como repudiarlo. Aunque parecía una decisión que había sido tomada por él.

–Eso es tan arcaico –Iris se tapó la boca con la mano, incapaz de creer que lo hubiera dicho en voz alta.

Pero Genevieve sonrió, sin mostrarse ofendida.

–Jean también pensaba que la forma de vida de los beduinos era arcaica y nunca quiso vivir aquí. Insistió en estudiar en una universidad occidental y terminó casándose con una europea, como mi marido.

Pero los orígenes europeos de la madre de Asad eran lo único que tenía en común con Genevieve, pensó Iris.

–¿Nunca han vivido en el campamento?

–Celeste y Jean vinieron a vivir aquí después de casarse, pero ninguno de los dos era feliz y, por fin, Jean nos dijo que no tenía el menor deseo de convertirse en jeque de los Sha'b al-Najid. Mi marido podría haber nombrado a algún primo o sobrino como sucesor, pero había visto la pasión de los beduinos en Asad y sugirió que lo criásemos nosotros.

–¿Cuántos años tenías cuando tus padres se marcharon a Ginebra, Asad?

–Cuatro.

¿Y a los cuatro años habían visto «la pasión de los beduinos en él»? Iris suponía que era posible, pero seguía pareciéndole una barbaridad.

–¿Cuántos años tenían tus hermanos?

–Mi hermana, dos. Mi madre estaba embarazada de mi hermano pequeño.

–Pero no quiso dar a luz en el campamento –Genevieve se encogió de hombros–. Todos sus hijos nacieron en Ginebra... todos salvo Asad.

Iris no pudo evitar sentir compasión por él en ese momento. Ella sabía bien lo que era no ser necesaria para tus padres.

Asad sacudió la cabeza.

–Sé lo que estás pensando... no lo hagas. Mis padres no me abandonaron. Seguimos viéndonos a menudo y siempre he tenido a mis abuelos y a los Sha'b al-Najid. Hacer las cosas de ese modo era necesario. Mi padre prefería una vida de lujo en Europa y mi abuelo sabía que algún día yo sería un gran jeque.

No lo decía con arrogancia, sino con una convicción que casi la hizo sonreír.

–A mí esta vida me parece lujosa.

–Tenemos acceso a Internet por satélite solo durante cuatro horas por las tardes. Y no hay modernas cocinas, ni electrodomésticos o cuartos de baño.

Iris se encogió de hombros.

–Seguro que las cosas que tenéis aquí son mejores que las que he tenido en la mayoría de mis trabajos de campo.

–Sin duda –Asad sonrió, como si se alegrase de

que pensara así–. Lo que tenemos ahora es mucho más de lo que mi padre tuvo en sus campamentos. Aunque cuando viene de visita sigue encontrándolo todo demasiado rústico.

–¿Y los demás piensan lo mismo?

–Todos menos mi hermano menor. Él nació cuatro años después de que se fueran a Ginebra... una bendición inesperada para mis padres –Asad hizo una mueca–. Y ha dicho que piensa vivir aquí cuando termine la carrera.

–¿Y a tus padres les parece bien?

–Naturalmente. Ellos dependen del dinero que genera la tribu y saben que no pueden rechazar del todo nuestro modo de vida.

A pesar de que Asad pretendía fingir que la ausencia de sus padres no le importaba, Iris intuía que no era así.

–Ellos nos dieron a su hijo mayor –intervino Genevieve–. Yo diría que eso es sacrificio suficiente.

Ella no estaba de acuerdo, pero no pensaba decirlo en voz alta. Sus padres la habrían canjeado encantados si así hubieran conseguido lo que querían. De hecho, a menudo habían hecho tratos con ella a cambio de viajar solos... pero eso era algo que nunca le había contado a Asad porque la avergonzaba.

De niña siempre había pensado que tenía que haber algo malo en ella para que sus padres prefiriesen enviarla a un internado en lugar de tenerla en casa. Incluso durante las vacaciones.

–Tal vez –asintió Asad, aunque no parecía particularmente convencido–. No sé si la decisión fue difícil para ellos o no. Solo sé que eligieron vivir lejos de la tribu.

Genevieve sacudió la cabeza, como regañándolo por decir eso.

–No me lo habías contado –dijo Iris.

Aunque tal vez era lo mejor. Seis años antes estaba locamente enamorada de él y seguramente lo habría amado más de haber sabido que los dos habían sido rechazados por sus progenitores.

–Hay muchas cosas de las que no hablamos.

–Cierto –asintió ella–. Yo ni siquiera sabía que algún día serías un jeque.

Y él no sabía nada sobre su infancia o sobre la suprema indiferencia de sus padres. Y nunca le había contado la historia de cómo perdió su virginidad. Asad tenía razón, había tantas cosas de las que no hablaron seis años antes.

–Aunque tal vez debería haberlo imaginado por... no sé, por tu porte.

–Mi intención no era escondértelo.

Iris lo creía y, por primera vez en seis años, tuvo que admitir que tal vez no se conocían tan bien como ella había pensado. Aunque eso no aliviaba su enfado por llevarla a Kadar.

Genevieve se levantó.

–Voy a hacer más té.

Iris iba a levantarse para ayudarla, pero la mujer puso una mano en su hombro.

–No, en otro momento te enseñaré a hacer el té como lo hacemos nosotros. Ahora, debes quedarte para charlar con mi nieto. Asad estaba deseando volver a verte.

Atónita, Iris solo pudo asentir con la cabeza. A su jefe no le gustaría nada que dijese que prefería estar a solas con la serpiente de cascabel que había visto en su último trabajo de campo.

Asad esperó hasta que su abuela desapareció tras la cortina para decir:

–Nunca te mentí. Pensé que sabías que algún día sería el jeque de mi tribu.

–Ya lo has dicho antes –murmuró ella, fulminándolo con la mirada.

–¿Y bien?

¿Y bien qué? ¿Qué esperaba, que lo felicitase?

–¿Me crees? –le preguntó Asad, sin poder disimular su frustración.

–Sí –respondió Iris.

–¿Entonces por qué has puesto esa cara cuando mi abuela se ha ido?

¿En serio? No podía ser tan necio.

–Veo que tener memoria fotografía no significa que una persona sea particularmente perspicaz.

El sarcasmo pareció sorprender a Asad.

–Has cambiado.

–Sí, desde luego –asintió ella. Ya no era una ingenua–. Y no te entiendo. ¿Crees que saber que algún día serías un jeque tenía alguna importancia para mí entonces? Aunque lo hubiera sabido no habría estado más preparada para que me dejases plantada.

–Yo no te dejé plantada.

–¿Ah, no?

¿Qué había sido de su famosa sinceridad?

–Perdona, pero sí me dejaste.

–Tenía obligaciones, un plan para mi vida que no podía rechazar.

–Tú no querías rechazarlo. No me dejaste por sentido del deber, me dejaste porque no querías pasar el resto de tu vida conmigo. Y yo fui tan tonta como para creer que así era.

Había perdido a su amante, pero igualmente doloroso era saber que había perdido a su mejor amigo.

–Lo siento –dijo Asad.

Había dicho eso mismo seis años antes, con un brillo de compasión en los ojos.

–Todo eso es agua pasada –murmuró Iris.

–Pero aún veo pesar en tus ojos cuando hablas de ello.

Iris no podía negarlo, pero tampoco pensaba admitirlo. No quería su compasión y, además, tenía algo más reciente con lo que lidiar.

–No puedo creer que hayas sido tú quien pidió que viniese a Kadar.

No pensaba disimular cuánto la enfurecía que hubiese manipulado a su jefe... a ella misma.

Pero Asad parecía sorprendido por su enfado.

–Pensé que estaba haciéndote un favor.

–¿Ah, sí?

–Intentaba compensarte por mi abrupta partida...

–Lo dirás de broma. ¿Crees que forzarme a estar cerca de ti es un favor?

–No soy ningún monstruo, Iris. Antes disfrutabas de mi compañía... y no me refiero solo al dormitorio.

–Éramos amigos, pero ya no lo somos –replicó ella, intentando contener su furia. No quería que Genevieve volviese y la encontrase discutiendo con su nieto.

–Podríamos volver a serlo.

–¿Por qué iba a querer ser tu amiga?

–Yo te he echado de menos. Y tú me has echado de menos a mí.

Y, para él, era así de sencillo. Daba igual que ella hubiese estado tan locamente enamorada que sintió como si le arrancase el corazón cuando se marchó.

–Podrías haberme llamado... haberte puesto en contacto conmigo.

Asad negó con la cabeza.

–Necesitas adquirir experiencia en Oriente Medio para avanzar profesionalmente.

–¿Me has estado investigando?

–No, pero he seguido tu carrera.

–Y creías estar haciéndome un favor, claro –murmuró Iris. ¿Por qué pensaba que no era altruismo por su parte? Ah, sí, porque no confiaba en él y no volvería a hacerlo nunca–. ¿No se te ocurrió pensar que yo no quería venir a Oriente Medio?

–No.

Ella enterró la cara entre las manos, incrédula. Asad parecía no tener ni idea de lo que sentía.

Y era absurdo seguir con aquella discusión. Él nunca iba a entenderlo y no iba a dejar el tema a menos que ella lo hiciera.

–¿Esta es la jaima de tu familia?

–Sí.

–¿Y dónde están los demás?

¿Las paredes de la jaima eran tan gruesas que no podía escuchar la voz de una niña?

Todo estaba sorprendentemente silencioso.

–Mi abuelo pasa el día con el resto de los mayores, tomando café y recordando historias. Sin duda, se habría quedado para recibirte, pero mi abuela sabe cómo salirse con la suya y quería conocerte antes –respondió Asad.

–¿Tu hija está en el colegio?

Él negó con la cabeza.

–Estará jugando con los demás niños, al cuidado de mi prima.

–¿No tiene edad para ir al colegio?

–Aquí no tenemos un colegio en el sentido occidental, aunque hay algo similar. Entrenamos a nuestros niños en todos los aspectos de la vida, no solo a leer y escribir, aunque también hacemos eso porque algunos querrán ir a la universidad algún día —Asad alargó una mano como si fuera a tocarla, pero la dejó caer con una expresión indescifrable—. Pero tienes razón, mi hija es demasiado joven para ir al colegio.

—¿Tu abuela tiene ayuda con...? —Iris no terminó la frase porque no conocía el nombre de la niña.

—Nawar. El nombre de mi hija es Nawar y tiene cuatro años. Mi abuela y mi prima me ayudan, pero me ocupo personalmente de su educación.

—Eso es admirable —admitió ella.

—¿Por qué?

—Ya sabes que en el mundo occidental, los padres se ocupan menos de los hijos que las madres —dijo Iris.

—Yo paso todo el tiempo posible con Nawar.

Sería más fácil para ella si pudiera seguir viéndolo como un canalla sin corazón y no como un ser humano, un padre viudo preocupado por su hija. Si no tuvieran un pasado, no solo lo respetaría, sino que lo admiraría.

Algo que, sencillamente, no podía permitirse.

Capítulo 4

ERÍA más cómodo para mí alojarme en otra jaima –insistió Iris, aprovechando que estaban solos.

–¿De verdad?

–Sí.

–¿Quieres alojarte con extraños? –le preguntó Asad–. Porque esa sería la única opción.

–Y sería lo mejor.

Desde luego, era mejor que alojarse en una jaima con él.

–No.

Por supuesto, Asad no se molestaba justificarse o excusarse.

–Te has vuelto más autoritario desde la última vez que nos vimos –lo acusó Iris.

Aunque entonces eso no la había molestado, al contrario. Asad la había convencido para que hiciese cosas que nunca habría hecho de otro modo, como por ejemplo las clases de bailes de salón a las que habían acudido juntos un mes después de conocerse o ir a fiestas a las que no la hubieran invitado de estar sola.

Había querido borrar muchos buenos recuerdos del tiempo que estuvieron juntos y, de repente, todos ellos reaparecían...

Asad no parecía particularmente molesto por su comentario.

–Tal vez.

–Nada de tal vez, es así.

–¿Y te sorprende? Soy un jeque, Iris. Ser autoritario es parte de mi trabajo –replicó él, burlón.

–Asad, tienes que ser razonable.

–Te aseguro que soy muy razonable.

–Eres testarudo como una mula.

–¿Las mulas son muy testarudas?

–Tú sabes que sí.

–¿Y cómo voy a saberlo?

Iris puso los ojos en blanco.

–Porque todo el mundo lo sabe.

Él intentó disimular una sonrisa.

–Te alojarás aquí.

–Eres como un disco rayado.

–Primero una mula, ahora un disco rayado. ¿Qué más cosas vas a llamarme?

–Estás cambiando de tema.

–No hay necesidad de seguir discutiendo.

Iris abrió la boca para decir que había muchas cosas que discutir cuando, de repente, un ruido llamó su atención. Un segundo después, una niña de largo pelo negro entró corriendo en la jaima y se lanzó sobre Asad.

–¡Papá!

Asad se inclinó para tomarla en brazos.

–Mi joya. ¿Lo has pasado bien esta mañana?

Aparte del color de piel, Iris no veía ningún parecido físico entre los dos. La niña debía de parecerse a su madre... y pensar eso hizo que se le encogiera el estómago.

–Te he echado de menos, papá. Y he llorado.

–¿Has llorado?

La niña asintió con la cabeza.

–La abuela dijo que debía ser fuerte, pero yo no quiero ser fuerte. ¿Por qué no me has llevado contigo, papá?

Asad hizo una mueca, como si lamentase haber dejado atrás a su hija.

–Debería haberlo hecho.

–Me gusta jugar en el palacio, con mis primos.

–Sí, ya lo sé.

–La próxima vez, quiero que me lleves.

–Me lo pensaré.

–¡Papá!

–No seas grosera, hay una persona a la que quiero presentarte y no dejas de hacerme reproches.

Verlos a los dos juntos hizo que Iris sintiera la misma mezcla de emoción y dolor que había sentido al ver a Catherine con el jeque Hakim.

Estaba claro que Asad adoraba a su hija y eso le gustó porque significaba que no había estado equivocada del todo sobre el hombre al que había amado seis años antes. Entonces había pensado que sería un padre maravilloso y estaba claro que había acertado. Pero saber que había tenido una hija con otra mujer era como echar sal en una herida abierta.

–Lo siento –se disculpó la niña, volviéndose para mirarla–. ¿Quién eres?

–Nawar... –la reconvino Genevieve, que acababa de entrar con una bandeja que otra mujer se apresuró a quitarle de las manos.

Estaba claro por la cantidad de tazas y comida que Genevieve había esperado el regreso de su nieta con su cuidadora, una mujer unos quince años menor que Asad de cálidos ojos castaños.

La niña hizo un puchero, su expresión contrita.

–No quería ofenderla –se disculpó, ofreciéndole su mano–. Soy Nawar bin Asad al-Najid.

Hablaba como un adulto en miniatura e Iris sonrió mientras estrechaba su manita.

–Hola, Nawar. Yo soy Iris Carpenter. Es un placer conocerte.

–¿Puedo llamarte Iris?

–Sí, claro.

–¿Puedo, papá?

–Por supuesto. Si ella te ha dado permiso...

–Iris es un nombre muy bonito.

–Era la flor favorita de mi madre –Iris siempre había pensado que había elegido ese nombre para no olvidarse de ella... aunque no había servido de nada porque sus padres se olvidaban de ella continuamente–. Nawar también es un nombre muy bonito. ¿Sabes lo que significa?

–Significa «flor», me lo puso mi padre.

Tal vez era una tradición entre los beduinos que el padre eligiese el nombre de sus hijos, aunque le parecía raro que la madre no participase.

–Y parece que se le da bien poner nombres a las niñas.

–Yo también lo creo –dijo Nawar, sin dejar de sonreír–. ¿Qué son «reproches»? ¿Tú lo sabes?

Asad intentó disimular la risa e Iris hizo lo mismo mientras respondía:

–Es como regañar.

La niña se volvió para mirar a su padre.

–Yo no te he regañado, papá.

–A veces lo haces, alhaja.

Cuando Nawar volvió a hacer un puchero, Iris tuvo que disimular una sonrisa. Algo que le ocurrió a menudo mientras compartía el té con la familia de Asad. Su abuelo se había reunido con ellos poco después, mostrándose tan amable como todos los demás.

Iris esperaba que Russell llegase en cualquier momento, pero los minutos pasaban y su ayudante no aparecía. Cuando preguntó, Asad le dijo que le estaban enseñando el campamento.

–Ah, me habría gustado ir con él –murmuró Iris, intentando disimular su decepción.

–Me alegra saberlo porque pensaba enseñártelo más tarde.

–No, por favor, no quiero robarte más tiempo. Imagino que tendrás muchas cosas que hacer.

Aquel hombre era implacable. Quería renovar su amistad y haría lo que fuera para conseguirlo. Tal vez lamentaba lo que había ocurrido entre ellos y aquella era su manera de compensarla, pero... no había imaginado el brillo predador en sus ojos.

Probablemente, Asad no veía nada malo en que se acostasen juntos. Y ella tendría que dejarle claro que eso no iba a pasar.

–Tonterías, tú eres una invitada en nuestra casa –intervino su abuelo–. Asad no dejaría que nadie más te enseñase el campamento.

Iris entendió de inmediato de dónde sacaba el nuevo jeque su arrogancia. Pero el comentario del abuelo sobre las hospitalarias tradiciones beduinas no admitía discusión. Por lo que había leído, no era una cuestión de orgullo, sino de honor.

Y el honor no podía ser ignorado.

–¿Puedo ir yo también, papá? –preguntó Nawar.

Asad negó con la cabeza.

–Tú tienes que echarte la siesta.

–Pero no estoy cansada –protestó la niña, negando tal afirmación un segundo después al frotarse los ojitos con los puños.

Su padre la sentó sobre sus rodillas para darle un beso en la frente.

–Tienes que dormir un rato, pero Iris seguirá aquí cuando despierte. Va a estar aquí una temporada, ¿verdad, Iris?

Ella no pudo hacer más que asentir con la cabeza.

Asad y su primo la habían manipulado para llevarla a una situación en la que no podía hacer nada o perjudicaría su carrera.

Genevieve la acompañó a su habitación mientras Asad llevaba a la niña a la suya para que se echase la siesta.

La cama estaba a ras de suelo, cubierta con ricas sedas en varios tonos de azul, su color favorito, y tenía un aspecto muy cómodo. Con unos almohadones grandes que debían de estar rellenos de plumas, era una tentación. Estaba tan cansada que le gustaría tumbarse para dormir un rato.

Genevieve la miró, sonriendo.

–Asad hizo que cambiasen la decoración tras la muerte de Badra. Durante su breve matrimonio mover esta habitación era casi tan difícil como mover todo el campamento.

–¿Esta era la habitación de la princesa? –exclamó Iris, sorprendida.

Aunque eso explicaba que fuese tan grande, algo poco habitual en los campamentos beduinos.

–Sí, lo era –respondió Genevieve, indicando la cortina de seda que estaba detrás de la cama–. La habitación de Asad está al otro lado.

–Pero eso no es... ¿no están separados los aposentos de los hombres y las mujeres?

–En una jaima tradicional, sí, pero debo admitir que yo hice algunos cambios cuando me casé con Hanif y Badra hizo muchos más. Aunque la sala principal es tradicional, la forma en la que dividimos la zona de las mujeres es muy diferente.

–Ah, entiendo –murmuró Iris, aunque no entendía nada.

–Hanif y yo nos alojamos en un aposento al fondo y Fadwa y Nawar comparten habitación. Pero tienes razón, en la cultura beduina normalmente una mujer soltera se alojaría con ellas, pero Asad ha decretado que estarías más cómoda en el aposento de Badra.

–Ah, muy bien.

Ninguna de las dos comentó el hecho de que el jeque y su mujer no habían compartido habitación. Pero Iris no podía dejar de preguntarse por qué.

¿Una cama matrimonial habría sido demasiado para la virtuosa Badra?

Inimaginable.

¿Cómo podía una mujer no caer bajo el hechizo de Asad? Cuando estaban juntos, ella deseaba sus caricias con una intensidad que la había avergonzado después de su ruptura. Pero entonces estaba emocionada por la belleza y la pasión de sus encuentros...

Sencillamente, le parecía increíble que otra mujer fuese indiferente a la sexualidad de Asad.

Intentando pensar en otra cosa, Iris señaló una jarra de cobre y una palangana del mismo material sobre una cómoda con varios cajones.

–Es preciosa.

Decorada con un intricado diseño árabe, estaba tan pulida que brillaba como un espejo.

–La jarra y la palangana están limpias. Puedes beber agua en ella o usarlas para lavarte –le explicó Genevieve–. Alguien vendrá para retirar el agua más tarde y se usará para regar el jardín en la parte de atrás, así que es importante que solo uses este jabón.

Iris tomó el jabón hecho a mano que le ofrecía y se lo llevó a la nariz. Olía a jazmín y a salvia...

–Qué maravilla.

–Me alegro mucho de que te guste. Lo hacemos aquí, en el campamento.

Iris vio que sus maletas estaban al lado de la cómoda, pero no había visto a nadie entrar en la jaima mientras ellos tomaban el té.

–¿Hay otra entrada?

Genevieve asintió con la cabeza.

–Por la cocina. Si quieres, te enseñaré el resto de nuestra humilde morada.

–Sí, por favor.

La jaima no era humilde en absoluto, los aposentos privados tan lujosos como la sala donde habían tomado el té, aunque no contenía muchos muebles porque eso haría difícil mudarse dos veces al año. Pero los aposentos de las mujeres solteras, en los que dormían Nawar y Fadwa, eran más pequeños que la habitación de Badra.

Cuando se lo dijo a Genevieve, la mujer se encogió de hombros.

–Tal vez cuando Asad vuelva a casarse, su mujer cambiará los aposentos. Pero mientras no intente cambiar mi habitación y la de Hanif...

–¿Está pensando volver a casarse? –preguntó Iris. La idea de que Asad tomase otra esposa le encogió el corazón como no debería.

–Naturalmente –respondió Genevieve–. Aunque aún no ha elegido a ninguna mujer en particular –añadió, llevándola hacia la cocina–. Pero yo creo que ha pasado tiempo suficiente desde la muerte de Badra.

–¿Cómo murió?

–En un accidente de avión... con su amante.

No había sido la anciana quien respondió, sino Asad, que había aparecido tras ellas.

Genevieve sacudió la cabeza.

–No tienes por qué anunciarlo de ese modo.

–¿Crees que debería mentir? ¿O endulzar la situación como hicieron los periodistas al decir que estaba de vacaciones con unos amigos?

–Por tu hija, sí.

Asad inclinó la cabeza, como dándole la razón, aunque su expresión no indicaba nada.

–¿Qué te parece mi hogar, Iris? –le preguntó, olvidándose de la traición de su esposa, como si no tuviera importancia.

El Asad que ella había conocido en la universidad jamás hubiera sido tan pragmático sobre algo así.

–Es fantástica.

–¿Te gusta tu habitación?

–Sí, claro.

–¿Pero?

–Yo no he puesto ningún pero.

–¿No?

–Es que... bueno, es un poco grande para mí, ¿no? Es preciosa, pero podría instalar mi laboratorio en un sitio más pequeño.

Por no decir que la habitación estaba al lado de la suya y que eso era suficiente para que no pudiese conciliar el sueño.

Una de sus raras y preciosas sonrisas transformó el rostro de Asad.

–No será necesario. Tú y tu compañero tenéis otro aposento asignado como laboratorio.

–Gracias.

¿Qué más podía decir?

–Haré todo lo que esté en mi mano para que tu estancia aquí sea agradable –dijo Asad.

Eran unas palabras amables, pero la mirada que las acompañó hizo que sintiera un escalofrío.

Iris se volvió para mirar el patio entre las tiendas, con tiestos de flores que hacían que aquel sitio pareciese un vergel en medio del desierto. A pesar del calor, otras mujeres cocinaban sobre lumbres de leña, mirándola con curiosidad.

–Había leído que las jaimas de los beduinos se agrupaban por lazos familiares. ¿Eso es cierto también entre los Sha'b al-Najid? –le preguntó.

–Lo es –respondió Asad–. Las jaimas que hay alrededor de esta son de la familia de mi abuelo–. Ven –dijo luego, tomando su mano–. Voy a enseñarte el resto del campamento.

–¿De verdad tienes tiempo? –preguntó Iris, intentando soltar su mano y sin conseguirlo.

–Las leyes de la hospitalidad son muy importantes para nosotros. No mostrar la adecuada consideración hacia mi invitada sería inaceptable.

–Ah, esa palabra otra vez.

Él esbozó una sonrisa.

–Nuestro modo de vida tiene miles de años y algunas cosas son consideradas absolutas, sin discusión posible.

–Como la hospitalidad –dijo Iris.

–Exactamente.

–Pero tu hogar no es un hogar tradicional.

–No.

–No te dan miedo los cambios.

–No, desde luego. Aunque no busco el cambio porque sí.

–Quieres preservar la tradicional vida de los beduinos, pero adaptarla al paso del tiempo y hacerla viable para la siguientes generaciones.

–Me entiendes muy bien –Asad apretó su mano–. Siempre ha sido así.

–No es verdad.

Si lo hubiera entendido bien seis años antes no se habría engañado a sí misma pensando que lo que había entre ellos era algo permanente.

–Tal vez me entendías mejor de lo que me entendía yo mismo.

–No quiero seguir hablando de eso, Asad –Iris intentó recuperar su mano de nuevo, pero él la sujetó.

–Tranquila, *aziz*. Por el momento, dejaremos la discusión sobre nuestra amistad del pasado.

Si solo estuvieran hablando de una amistad...

Se había hecho amiga de Russell desde que empezó a trabajar como becario, pero, si no volvían a hablar nunca más, no se sentiría desolada.

No como cuando Asad la dejó.

Cuando ella creía que eran algo más que amigos que se acostaban juntos.

–No me llames así –le advirtió–. No vuelvas a llamarme así. Me da igual que para ti sea un término cariñoso habitual. Solías llamarme así entonces y... me duele más de lo que puedas imaginar saber que no significaba nada.

—¿Qué? —Asad se había detenido y la miraba con cara de sorpresa—. ¿Por qué te enfadas?

¿De verdad no sabía de qué estaba hablando?

—No quiero que me llames «*aziz*». ¿Me entiendes? Si vuelves a hacerlo, me marcharé, te lo juro.

Sabía que era absurdo, que no tenía ningún sentido, pero no pensaba dar marcha atrás.

—¿Comprometerías tu carrera por una palabra?

—Sí —respondió ella. Y lo decía en serio. Era capaz de tolerar muchas cosas, pero eso no.

Nunca más. Esa palabra representaba todo lo que había sufrido seis años antes. Significaba «querida», pero él no lo decía de verdad.

Ni una sola vez había dicho que la amase, pero cada vez que la llamaba «*aziz*», ella había creído que esa era su manera de decírselo.

Había estado tan equivocada... pero esa palabra solo tenía una traducción y ella lo sabía. Aunque Asad la usaba con la misma desidia que un adolescente llamando «cariño» a la novia de la semana.

Estaban parados en medio de un pasillo entre las jaimas, con gente pasando a su lado, pero nadie se detuvo a conversar con el jeque. Tal vez porque intuían la explosión que Iris había intentado contener desde que lo vio al pie de la escalera la noche anterior.

—No quieres que te llame «*aziz*», pero imagino que...

—Prométeme que no volverás a hacerlo o me marcho ahora mismo.

—A tu empresa no le gustaría eso.

—Seguramente me despedirían.

–Y, sin embargo, estás dispuesta a irte de Kadar de todas formas –la confusión que había en su tono le dolía tanto como que hubiera usado esa expresión un segundo antes.

–Sí –respondió Iris. Le daba igual que no lo entendiera, solo quería que comprendiera lo que estaba pidiendo–. ¿Me lo prometes?

Después de unos segundos de cargado silencio, él anunció:

–No usaré ese término cariñoso a menos que tú me des permiso para hacerlo.

–Nunca te lo daré.

Eso era algo de lo que estaba completamente segura.

–Ya veremos.

–Asad...

–Creo que hemos tenido suficientes dramas por un día –la interrumpió él–. Ven, te enseñaré mi casa del desierto y te enamorarás de los Sha'b al-Najid como tantos antes que tú.

Y decirle adiós le rompería el corazón... pero eso parecía lo normal con aquel hombre.

Iris asintió con la cabeza.

–Muy bien.

Asad le mostró la zona comunitaria de la que estaba tan orgulloso. Incluso de día estaba llena de gente, algunos viendo un partido de tenis en la pantalla mientras otros se ocupaban en un juego tradicional tan antiguo como ellos, que se jugaba con piedrecillas.

–¿Es aquí donde se reúnen los turistas? –le preguntó, intentando disimular la agitación que provocaba su proximidad.

Después de seis años ni más ni menos. No era

justo, pero Asad tenía razón: habían tenido suficientes dramas por un día.

—Ahora no tenemos invitados.

—¿Por qué no?

—El grupo más reciente se marchó hace poco y el siguiente no llegará hasta dentro de unos días.

—Lo has hecho a propósito ¿verdad?

Iris no sabía por qué o incluso cómo podía haberlo manejado todo para que no hubiese nadie más en el campamento cuando ella llegase, pero sabía que era así.

Asad no se molestó en encogerse de hombros siquiera, sencillamente la miró con una expresión indescifrable; una expresión que Iris ni siquiera quería descifrar.

Capítulo 5

UNOS minutos después, volvían hacia la jaima principal por un laberinto de pasillos.

Había visto mujeres que pasaban el día tejiendo alfombras asombrosas, otras haciendo joyas y algunas haciendo el jabón que tanto gustaba a Genevieve.

Como había esperado, eran beduinos tradicionales haciendo cosas tradicionales... y le encantó. Leerlo en los libros era maravilloso, pero no podía compararse con verlo en persona. Vivir con los Sha'b al-Najid era mucho más de lo que había esperado.

—Pero ¿dónde están los rebaños? –le preguntó cuando se acercaban a una jaima apartada de las demás.

Estaba cerca de la de Asad, de modo que ese debía de ser el final del tour. Inexplicablemente, no quería que terminase e intentó convencerse a sí misma de que era porque quería saberlo todo sobre los beduinos.

Pero Iris nunca había sido capaz de mentirse a sí misma.

El jeque Asad bin Hanif al-Najid era tan fascinante para ella como lo había sido Asad Hanif. Si era sincera consigo mismo, mucho más. Y tenía que ponerse a trabajar lo antes posible para ocupar su mente en otra cosa.

—¿Los rebaños? –repitió él.

–Las cabras y los camellos. Siempre he leído que los beduinos viajaban con sus rebaños.

Pero en el campamento no había animales, salvo algunos pavos reales paseando a sus anchas entre las jaimas, que debían conservar como atracción para los turistas.

–¿Pensabas que todos los beduinos tenían rebaños? –le preguntó Asad.

–No, qué bobada. Eso sería como pensar que todos los que viven en el mundo occidental son granjeros. ¿Pero viajar con sus animales no es parte de la cultura tradicional de los beduinos?

Además, sería absurdo que Asad y su gente comprasen la carne y la leche en otro sitio contando con tanto espacio para tener animales.

–Tenemos rebaños, pero están en la falda de la colina. Si no, el olor sería insoportable para nuestros invitados.

–Ah, ya veo.

Asad enarcó una ceja.

–Me alegro.

–No quería ofenderte.

–No me has ofendido. Es una vieja discusión que tuve con Badra, nada más.

Sorprendida por el sincero comentario sobre su difunta esposa, Iris preguntó:

–¿A ella no le parecía bien que hicieras eso por los turistas?

Asad rio, pero era una risa amarga.

–Al contrario. Ella no podía soportar el olor y habría preferido que nos librásemos de los rebaños por completo.

Su esposa le había sido infiel, algo que Iris no podía comprender. ¿Qué mujer no querría tener a Asad en su cama? Pero esa última revelación decía, además, que la perfecta princesa había sido una tonta.

Porque habría que ser tonta para no darse cuenta de la importancia de los rebaños en una tribu nómada.

–Casarte con una virginal princesa no resultó como habías esperado, ¿eh?

–¿Y eso te alegra? –le preguntó él.

–Probablemente no me creerás, pero no. Nunca te deseé ningún mal –su propia sinceridad la sorprendió, pero siempre había sido fácil revelarle sus más profundos pensamientos y emociones.

Tal vez porque en el pasado había demostrado ser un hombre digno de confianza y era difícil cambiar ese punto de vista a pesar de lo que la había hecho sufrir.

Cada vez que revelaba un miedo o decepción en el pasado, Asad hacía lo posible por aliviarlo. Le había contado que estaba preocupada por un examen particularmente difícil y, aunque no era su tema, él la había ayudado a estudiar e incluso había investigado por ella. Iris le había confesado sentirse incómoda con su cuerpo y él la había convencido para que tomaran clases de baile de salón...

Asad se detuvo antes de entrar en la aislada tienda, mirándola con una expresión que no entendió.

–Eres una mujer diferente, florecilla.

Solía llamarla así, un apelativo bobo y enternecedor, y que lo usara de nuevo no le dolió tanto como cuando la llamó *aziz*.

–No lo creo. Cuando amas a alguien, deseas que sea feliz. Aunque no sea contigo.

Esa verdad la había sostenido durante algunos de

los momentos más oscuros, pero él dio un respingo, como si lo hubiera abofeteado.

–¿Me quieres?

–Te quería –le aclaró ella.

–¿Y por eso no me odiaste? ¿Aunque considerabas que te había traicionado?

–Traicionaste el amor que sentía por ti. Pero no, no te odio.

Nunca había podido odiarlo, ni en el peor de los momentos. El profundo amor que sentía por él no había permitido que albergase otra emoción, por desolada que se sintiera.

Asad levantó una mano como si fuera a acariciar su rostro, pero la dejó caer. No estaban solos y, aunque nadie estaba lo bastante cerca como para escuchar la conversación, no estaría bien que se tomara esas libertades con una mujer soltera, aunque fuese occidental. Su tribu podía ser parte del pequeño porcentaje de tribus beduinas que no se habían convertido al Islam en el siglo VII, pero eso no significaba que tal comportamiento fuese aceptable.

–Tu amor por mí era cierto –murmuró, como si acabase de descubrirlo.

–Pero tú no me amabas a mí. Así es la vida –dijo Iris, haciendo una mueca.

Se sentía orgullosa de la aparente despreocupación de su tono. Tal vez verlo de nuevo había sido lo mejor. Tal vez cuando terminase el trabajo, podría seguir adelante con su vida... incluso volver a enamorarse.

Aunque confiar en otra persona con todo su corazón no era algo que estuviera segura de querer.

–¿Qué es esto? –le preguntó, indicando la aislada jaima.

–Deja que te lo enseñe –murmuró él.

Iris dejó escapar una exclamación al pasar bajo el toldo de la entrada. El interior de la jaima era completamente diferente a las demás. Era una moderna oficina con dos escritorios, uno frente a otro, con una secretaria hablando por teléfono mientras tecleaba algo frente a su ordenador.

No había almohadones en el suelo como en las demás jaimas. De hecho, no había almohadón alguno, sino sillas occidentales cubiertas de damasco y escritorios de madera oscura. Aquella habitación podría ser una oficina en Europa o Estados Unidos.

La recepcionista inclinó la cabeza a modo de saludo al ver a Asad, pero enseguida volvió a su trabajo y él no pareció molesto por la informalidad del saludo.

–¿Qué es esto, el centro de control? –bromeó Iris.

–Supongo que podríamos llamarlo así. Ven –Asad apartó una cortina y la llevó a otra habitación con varios monitores que dos hombres y una mujer miraban mientras tomaban notas y hablaban por teléfono–. Desde aquí controlamos las caravanas, el campamento y otros negocios.

La habitación que había a la izquierda debía de ser el despacho de Asad, pensó Iris mientras atravesaban una pesada cortina. Y no se equivocaba. Era un aposento decorado con muebles de madera oscura y colores similares a los de su tienda.

–Pensé que los beduinos llevaban sus negocios frente a una hoguera –dijo Iris, atónita por aquella modernidad en medio de un campamento nómada.

–No somos tan primitivos, aunque dirimimos las disputas entre nuestra gente con un té tradicional.

–Me alegra saberlo. No me gustaría que hubierais abandonado del todo vuestras costumbres.

–Yo no las he abandonado en absoluto. Sencillamente, las he adaptado al paso del tiempo.

–Eres un hombre muy inteligente.

No le importaba reconocerlo, lo merecía. Pero eso era lo único que iba a conseguir de ella. Por muy apasionadas que fueran sus miradas.

–Gracias.

–Eres tan trabajador ahora como lo eras en la universidad, ¿verdad?

Asad se encogió de hombros.

–Tengo que pensar en el bienestar de mi gente, no solo en el mío, de modo que no puedo dormir muchas horas.

–Si no recuerdo mal, tampoco dormías mucho cuando eras estudiante.

–Pero por razones bien diferentes –respondió él, con una mirada tan ardiente que habría derretido acero.

Pero Iris no iba a dejar que derritiese su corazón.

–No me mires así. Estoy aquí con objeto de hacer una prospección geológica para el jeque Hakim, nada más. Y estamos disfrutando de esta visita, no lo estropees.

–Te aseguro que esa no era mi intención.

Iris dio un paso atrás cuando él se acercó, pero cuando sus muslos rozaron el escritorio supo que estaba atrapada y levantó las manos.

–Para ahora mismo. ¿Qué ha sido de: «Hemos tenido suficientes dramas por un día»?

–No pensaba crear un drama. Tengo en mente algo completamente diferente.

Ella sacudió la cabeza, haciendo lo imposible por

parecer firme mientras su cuerpo anhelaba sus caricias con renovada y aterradora pasión.

—No vamos a hacer nada.

—¿Estás segura? —murmuró él, sus musculosas piernas deteniéndose a un milímetro de las suyas.

—Lo digo en serio, Asad. No estoy aquí para tener una aventura contigo, he venido a trabajar.

—Una aventura —él levantó una mano para acariciar el lóbulo de su oreja—. Una interesante y anticuada expresión para una geóloga moderna.

—Tal vez yo sea un poco anticuada.

—¿La mujer que me permitió hacerle el amor en nuestra primera cita, un día después de conocerme? No, no lo creo.

Iris se apartó, esas palabras empujándola más que nada de lo que pudiera haber dicho.

—¡Tú no sabes nada sobre mí!

Asad dio un paso atrás, tal vez sorprendido por su tono.

—Creo que te conozco muy bien.

—Me conociste hace seis años y las cosas cambian. La gente cambia.

Por favor, que ella hubiera cambiado...

—Si fuera así, no tendrías miedo de lo que puede revelar mi proximidad.

—Tal vez, sencillamente no me gusta que me acosen en el trabajo.

—No trabajas para mí, de modo que no puedo acosarte.

—Trabajo para tu primo.

—Pero no para mí. Los dos sabemos que tu trabajo aquí no tiene nada que ver con lo que ocurra entre nosotros.

–O con lo que no ocurra –replicó ella.

Asad asintió con la cabeza.

–O con lo que no ocurra, es verdad. Pero me deseas, Iris. Lo veo en cómo te quedas sin aliento cuando estoy cerca, en cómo late el pulso de tu cuello.

Iris puso una mano en su cuello, como si así pudiera esconder la evidencia, pero sabía que tenía razón.

–No me dejo controlar por los deseos de mi cuerpo.

–¿Entonces admites que me deseas?

–Eres un amante fantástico, Asad, pero tú no quieres mantener una relación y yo no estoy interesada en un breve encuentro.

Iris notó que las aletas de su nariz se abrían, como cuando estaba particularmente encendido.

–Cuando hagamos el amor, será todo menos breve.

–Y todo menos amor –replicó ella, intentando disimular el escalofrío que la recorría entera–. No va a ocurrir, Asad.

–Te mientes a ti misma.

–Puedes creer lo que quieras –Iris salió del despacho y se dirigió a la jaima en la que Asad le había dicho que estaba Russell.

Le daba igual que su carrera entre las jaimas no fuese muy digna. No tenía que ser un general para saber cuándo era necesaria una retirada. Y le sorprendió que Asad no la siguiera, pero tal vez él tenía que mantener una imagen de dignidad ante su pueblo.

Russell la saludó alegremente y comenzó a hacer observaciones sobre el campamento mientras preparaban el equipo y el laboratorio portátil.

Aunque la mayoría de los análisis de las muestras que tomasen se harían en un laboratorio de verdad, algunas cosas era mejor hacerlas en el campo. Y ella era lo bastante afortunada como para trabajar en una empresa que podía permitirse lo mejor en equipo geológico portátil.

Iris se recordó eso a sí misma mientras su instinto la empujaba a comprar un billete de avión para volver a Estados Unidos.

–Bueno, ¿qué pasa contigo y con el jeque? –le preguntó Russell entonces.

–¿El jeque Hakim? –le preguntó Iris, intentando fingir que no sabía de qué hablaba.

–Por favor... no hay que ser científico para interpretar los hechos. Entre el jeque Asad y tú hay algo.

–Fuimos a la misma universidad.

–Ya, claro. Durante mi primer año de universidad, yo conocí al que ahora es presidente de una de las compañías de Internet más importante del mundo, pero eso no significa que seamos amigos.

–Asad y yo fuimos amigos –dijo Iris.

Una vez incluso lo había considerado su mejor amigo, pero él había traicionado su amor y su confianza.

–Es algo más que eso –insistió Russell– o no te afectaría tanto.

–Da igual. El pasado es el pasado y estamos aquí para...

–Trabajar, ya lo sé –Russell jugaba con un microscopio, sin mirarla–. No puedes culparme por sentir curiosidad. Todo el mundo en CC&B piensa que estás más interesada en las piedras que en los seres humanos, especialmente en los hombres.

Era cierto que no se había esforzado nunca en hacer amigos y... en fin, las rocas no podían hacerte daño, pero eso no significaba que no estuviera interesada en las personas.

–Salgo con gente.

–¿Ah, sí? –Russell ni siquiera intentó disimular su incredulidad.

Hablarle de la única cena que había compartido con un colega el año anterior probablemente no contaría, particularmente porque solo habían hablado de rocas.

–Mira, déjalo. No importa.

–Importa cuando actúas como una mujer y no como una científica.

–Eso es ridículo. Siempre soy una científica antes que nada.

–Sí, claro, hasta que llegamos aquí. Sugeriste al jeque Hakim que llamase a un geólogo si así se sentía más cómodo... –el tono de Russell decía que eso era inexplicable–. El jeque Asad te poner nerviosa y solo habéis intercambiado un par de frases.

–No me pone nerviosa.

–¿En serio?

–Estás muy pesado.

–Eso se me da bien y, normalmente, no te importa –Russell dejó de fingir que estaba interesado en el microscopio para mirarla directamente–. Estoy siendo un amigo chismoso, así que cuéntame.

Ella solía ser una persona muy celosa de su privacidad, pero esa privacidad la había hecho solitaria. Tal vez era el momento de hacer amigos, auténticos amigos, no solo compañeros de trabajo.

Russell le había caído bien inmediatamente y le había gustado que lo asignaran como ayudante para ese encargo en Oriente Medio.

–Asad y yo estuvimos juntos unos meses durante mi primer año en la universidad.

–¿Juntos *juntos*?

–Sí.

–Vaya.

–¿No lo habías sospechado?

–No, en absoluto. Tú no eres la clase de mujer que se acuesta con un jeque... –Russell tuvo la gracia de ruborizarse después de hacer tal afirmación–. No quiero decir que seas una empollona fea ni nada parecido.

–Entonces no era jeque.

–Seguro que era igual en todos los sentidos.

–No, antes sonreía más.

–Ah.

–¿Ah, qué?

–Nada.

–No seas tan críptico. ¿Qué significa eso?

–Que te entristece que no sea tan feliz como antes.

–No seas tonto. Yo no he dicho que no sea feliz.

Pero era a eso a lo que se refería y no se había dado cuenta hasta que Russell lo dijo en voz alta.

–No lo es, ¿verdad?

–Su mujer murió hace dos años –respondió Iris. Y la caprichosa princesa Badra no era lo que él había esperado–. Seguramente seguirá de luto por ella.

–A juzgar por cómo te mira, no.

Iris no preguntó cómo la miraba porque sabía que sería perder el tiempo.

Russell se lo dijo de todos modos:

–Como si quisiera devorarte. Si una mujer me mirase así, no me sacarían de su cama.

–Ya –dijo Iris, escéptica. Por lo que había visto ese verano, Russell tampoco tenía una gran vida social–. Tú estás tan centrado en el trabajo como yo.

–Pero me alejaría de mis preciadas rocas por algo tan intenso.

–Sí, claro, por eso todos los fines de semana vas de discoteca en discoteca, porque estás buscando.

–Yo nunca voy a discotecas... ah, perdona, estabas siendo irónica. Pero, en serio, si yo encontrase algo como lo que hay entre el jeque y tú, no me lo perdería.

–Tú eres tan tímido como yo. Solo estás hablando por hablar, bobo.

Aunque también a él le habían roto el corazón, algo que le había confiado la primera vez que fueron juntos a hacer un trabajo de campo.

–No te metas conmigo –protestó Russell–. Menos mal que tengo un cociente intelectual altísimo.

Iris soltó una carcajada.

–El cociente intelectual mide tu habilidad para aprender, no tu sentido común.

–¿Estás diciendo que no tengo sentido común?

–Yo no he dicho eso...

–Eres muy mala.

–¿La primera prospección está muy lejos de aquí? –le preguntó Iris para cambiar de tema.

–Según mi GPS, a una hora en jeep, si vamos directamente allí. Deberíamos preguntarle al jeque Asad. Después de todo, él es nuestro guía.

–Es un jeque. Seguro que tiene cosas mejores que hacer.

–Y tú me llamas idiota...

–¿Qué quieres decir?

–El jeque no va a dejar que nadie más nos acompañe y tú lo sabes. Quiere encargarse de ti... quiero decir, de esta expedición geológica personalmente.

Capítulo 6

IRIS puso los ojos en blanco, pero no respondió a la evidente indirecta de Russell.

En cualquier caso, no podía negarlo. Su ayudante tenía razón. Asad había insistido en ser su contacto y estaba segura de que insistiría en acompañarlos cuando fueran a tomar muestras.

Esperaba que se aburriese, pero el instinto le decía que el jeque iba a convertirse en su sombra.

Asad demostró que estaba en lo cierto durante la cena, mientras intentaba convencerlo de que no era necesario.

—Llevo cuatro años haciendo esto, Asad. Sé lo que hago y Russell es un buen ayudante.

—Nawar está deseando hacer esta excursión. ¿Se la negarías?

La niña en cuestión estaba mirando a Iris con gesto esperanzado...

—No, claro que no.

—¿Puedes esperar hasta pasado mañana? La abuela ha planeado una fiesta de bienvenida para vosotros.

—¿Por qué?

—Sois nuestros invitados —dijo Genevieve, como si eso lo explicase todo—. No sería apropiado no organizar una fiesta.

—Russell y yo podemos empezar a trabajar mañana

de todas formas y volver para la cena –insistió Iris, desesperada.

Tenía que alejarse de Asad y recordarse a sí misma por qué estaba en Kadar.

–Será mucho más que una simple cena y he pensado que tal vez os gustaría participar en los preparativos –insistió él.

Sería una grosería rechazarlo, aunque le gustaría.

–Me encantaría –dijo Iris por fin.

–Yo podría empezar mañana con las mediciones –se ofreció Russell.

Sorprendentemente, fue Asad quien rechazó la proposición antes de que Iris pudiese vetar la idea.

–Aunque tradicionalmente los hombres no intervienen en la preparación de la comida, tenemos nuestras propias tareas para la fiesta. No debes perderte la oportunidad de experimentar nuestras costumbres.

–Gracias, jeque Asad –Russell sonrió, sus juveniles ojos brillantes de emoción.

El traidor.

Asad inclinó la cabeza.

–Mi abuela ha dicho que tomaremos *mansaf*. Es mi plato favorito, pero no lo hace a menudo –intervino Nawar.

–¿Ah, sí? –Iris sonrió a la niña, que no se parecía a su padre físicamente, pero sí en otros aspectos–. Si no recuerdo mal, ese solía ser también el plato favorito de tu padre.

Incluso había buscado en Internet la receta del tradicional cordero asado con salsa de yogur, servido sobre arroz. Iris no era la mejor cocinera del mundo, de modo que no le había sorprendido que el plato le saliera regular, pero Asad le explicó que la tradicional comida de los beduinos debía ser preparada sobre una lumbre de leña para que tuviera el sabor adecuado.

En cualquier caso, los dos se habían olvidado del cordero mientras hacían el amor apasionadamente después de cenar. Y Asad había dejado claro que fuera cual fuera el resultado, apreciaba sus esfuerzos. Pero Iris no volvió a cometer el error de hacer una receta de su tierra.

–Sigue siéndolo –dijo Nawar–. Mi abuela dice que en eso nos parecemos mucho.

–Seguro que tu abuela tiene razón –Iris acarició su pelo.

–Mañana te enseñaré los baños de las cuevas –dijo Genevieve–. Imagino que mi nieto habrá mostrado el decoro apropiado no llevándote allí.

Iris no sabía mucho sobre «apropiado decoro», pero la anciana tenía razón.

–Asad no mencionó los baños.

Y debía admitir que era un alivio saber que durante las siguientes semanas no tendría que pasar sin bañarse.

–Son unos manantiales naturales de agua caliente –le explicó Asad.

–Las mujeres usan las cuevas superiores y los hombres las de abajo. Supongo que creen que pueden soportar mejor el agua caliente –bromeó Genevieve, sonriendo a su marido de varias décadas–. Hanif descubrió los manantiales cuando era un niño y se los regaló a la tribu el día de nuestra boda.

Era una historia tan romántica que Iris se encontró sonriendo.

–¿Nadie los había visto antes?

–Nuestro pueblo ha vivido en estas tierras durante miles de años, pero siguen siendo un misterio para nosotros –respondió Hanif, volviéndose hacia Russell–.

Señor Green, espero que mañana se reúna conmigo y con los demás hombres para tomar café.

–Llámeme Russell, por favor. Y será un honor para mí. He querido probar el café de los beduinos desde que me dijeron que vendría a Kadar.

–Ah, entonces entenderás que lo que sale de una máquina no se parece nada al auténtico café –dijo Asad, irónico.

–Estoy dispuesto a dejarme convencer –asintió Russell.

No era una sorpresa ya que su ayudante era adicto a la cafeína, de modo que no podrían haber encontrado nada mejor para tenerlo ocupado.

Asad la acompañó a su habitación después de cenar y eso decía muy poco sobre su determinación de no relacionarse con él. La posibilidad de que la determinación de Asad fuera mayor que la suya en ese aspecto era turbadora en todos los sentidos.

–¿Qué te parece la ciudad de jaimas? –le preguntó él cuando llegaron a la cortina que hacía las veces de puerta.

–Asombrosa –respondió Iris.

–¿Que esté tan lejos de la civilización no te parece desconcertante? –insistió Asad, mirándola con incredulidad.

Ella esbozó una sonrisa.

–El mes pasado estuve dos semanas en medio del desierto de Texas, haciendo una exploración geológica para una compañía petrolífera. La verdad es que vuestro estilo de vida, por nómada que sea, es más sofisticado que lo que he encontrado en el noventa por ciento de mis trabajos.

–¿Y te gusta estar lejos de casa durante tanto tiempo?

Preparada para responder como solía hacerlo siempre que le hacían esa pregunta, se sorprendió a sí misma diciendo con total sinceridad:

–Al menos, cuando estoy fuera de casa hay una razón para estar sola.

–Tu trabajo.

–Sí.

–Es muy importante para ti.

–Es lo único que tengo –Iris miró alrededor. Los abuelos de Asad se habían retirado a sus aposentos y Nawar y Fadwa se habían ido a la cama temprano, pero la sensación de familia permeaba la impresionante jaima–. No todo el mundo es como tú, con parientes que nos echan de menos cuando no estamos.

–Pero tus padres viven.

–La última vez que los vi fue en Navidad, hace dos años. Hicimos un crucero de invierno juntos.

Se lo había regalado ella con la esperanza de forjar algún tipo de lazo, pero no había servido de nada. Ninguno de los dos estaba más interesado en ella que cuando era niña. Y, aunque le dolía admitirlo, tuvo que reconocer que sus padres no eran unas personas con las que le gustaría mantener una relación.

Por fin, había abandonado toda esperanza de tener una familia y no se había molestado en llamarlos por teléfono o enviarles un correo electrónico desde entonces. Aunque, en realidad, había abandonado ese sueño cuando Asad la dejó.

Sencillamente, no se había dado cuenta hasta que la indiferencia de sus padres puso el último clavo en el ataúd de su esperanza.

–¿Hace dos años? Pero eso es terrible –dijo Asad–. ¿Por qué has abandonado a tus padres?

–Te aseguro que yo no los he abandonado –respondió Iris–. ¿Cuándo fue la última vez que tú viste a los tuyos?

–El mes pasado –Asad inclinó a un lado la cabeza, estudiándola con gesto de curiosidad–. Viajo a Ginebra tres veces al año.

De modo que la decisión de quedarse con sus abuelos, que lo habían entrenado para ser un jeque, no había arruinado su relación con sus padres por completo. Tal vez estaba resentido, pero seguía queriéndolos y estaba segura de que ellos lo querían también.

–Tus padres se alegran cuando vas a verlos, imagino.

–Naturalmente.

Iris asintió con la cabeza. Afortunado él. Incluso después del trato bárbaro que sus padres habían hecho con sus abuelos, tenía una familia que lo quería y deseaba verlo. Y probablemente más de tres veces al año.

–No todos tenemos esa suerte.

La expresión de Asad se volvió pensativa.

–En los diez meses que estuvimos juntos no mencionaste que hubieras ido a visitar a tu familia, pero imaginé que era porque no querías presentarme a tus padres.

Asad había vuelto a su país durante las vacaciones de Navidad y debió de pensar que ella había ido a su casa. Pero no fue así. Iris se quedó sola en el campus, echándolo de menos más de lo que nunca había echado de menos a sus padres.

Él nunca le había presentado a nadie de su familia y le había parecido normal. Solo más tarde se dio cuenta de que un hombre no presentaba formalmente a una amante. Sobre todo, un hombre que iba a convertirse en jeque y que estaba comprometido con una princesa.

Había pensado que estaba buscando el momento adecuado cuando la verdad era que no iba a ocurrir nunca.

–De nuevo, veo que los dos sacamos conclusiones precipitadas –Iris sacudió la cabeza, cansada del tema–. Yo no tengo familia, Asad. Tuve un óvulo y un donante de esperma que fueron lo bastante considerados como para pagarme los estudios, nada más.

Él echó la cabeza hacia atrás, como si lo hubiera abofeteado.

–Es muy cruel decir eso sobre las personas que te han dado la vida.

–No espero que lo entiendas. Tus padres permitieron que tus abuelos te criasen y, aunque estoy segura de que en algún momento debiste de sentirte abandonado por mucho que quieras negarlo, la verdad es que tus padres no se olvidaron de ti. Los míos me dieron la vida, es verdad, pero era algo así como una niña tutelada por ellos, no una hija de verdad.

–Y tú llamaste «bárbaro» al acuerdo entre mis padres y mis abuelos –le recordó Asad, con tono acusador.

Iris se limitó a sacudir la cabeza. Tenía razón, ella no podía juzgar a nadie.

–Como he dicho, no espero que lo entiendas. ¿Por qué ibas a hacerlo? Yo nunca lo entendí y se supone que era mi familia –admitió–. Pero, en fin, estoy cansada y quiero irme a la cama.

–Supongo que no podría convencerte para que compartieses la mía –dijo Asad, con el tono burlón que solía usar para quitarle peso a las cosas serias.

No le había contado la verdad sobre sus padres por-

que la avergonzaba admitir que no la habían querido,
pero recordaba otras razones por las que le había escondido la verdad: Asad la hacía sonreír. La hacía tan
feliz que odiaba recordar el dolor de su infancia. Porque entonces seguía albergando una tenue esperanza
de que un día sus padres se dieran cuenta de que querían a su hija y deseaban estar con ella.

Iris sonrió.

—Eres tonto.

Le había dicho algo parecido a Russell esa mañana
y sabía que era porque, a pesar de todo lo que había
pasado, una parte de ella seguía considerando a Asad
como un amigo. Tal vez una vez que había dado su
confianza no podía retirarla del todo...

Pero las ramificaciones de esa posibilidad no eran
nada buenas para su corazón.

Sin percatarse de su agitación, Asad sonrió como
no lo había hecho en mucho tiempo.

—No, un tonto dejaría pasar una oportunidad.

Durante un segundo, Iris sintió la tentación de aceptar la oferta. Todo había sido una fantasía, pero le había parecido tan real... en sus brazos había sentido
como si tuviera una familia, como si de verdad le importase a alguien.

Y perderlo había estado a punto de matarla.

No iba a pasar por eso otra vez. No podía hacerlo.

Sin decir nada, Iris entró en la habitación y cerró
los cordones de la cortina, ignorando las lágrimas que
rodaban por su rostro.

Al día siguiente, Iris descubrió que estaba cayendo
bajo el hechizo de Nawar como había caído bajo el

hechizo de su padre seis años antes. Había sido un día muy ajetreado, con los preparativos para la fiesta y las charlas con los parientes de Asad, y Nawar había sido su sombra todo el día, salvo el rato de la siesta.

Iris había disfrutado mucho y, aunque se sentía un poco culpable por no trabajar, el jeque Hakim había llamado para decir que no esperaba que empezase con las prospecciones hasta que hubiera sido recibida en la tribu oficialmente.

Cuando la comida y los preparativos estuvieron terminados, Genevieve le dijo que era hora de arreglarse. Iris había pensado ponerse el único vestido que había llevado en la maleta para lo que creía sería un trabajo de campo en un lugar remoto, pero la anciana se negó.

Nawar y ella habían elegido una *galabiya* de su vestidor y la niña se había convertido en su instructora mientras se bañaban en los manantiales de las cuevas, usando el aromático jabón de jazmín.

—Después de lavarnos con agua y jabón, nos lavamos otra vez con la arena del fondo del manantial –le dijo.

—Seguro que eso te deja la piel muy suave.

Nawar asintió solemnemente.

—Sí.

—¿Y el pelo? –preguntó Iris.

—Se supone que antes tenemos que lavarnos –respondió la niña, apartando la mirada.

Ah, ya. No le gustaba lavarse el pelo.

—¿No quieres que tu pelo brille como la seda?

—El jabón se me mete en los ojos –Nawar hizo un puchero–. Y me escuece.

—Yo puedo lavarte el pelo sin que se te meta el jabón en los ojos –se ofreció Iris.

–Fadwa lo intenta, pero dice que me muevo mucho.

–Pero ahora mismo estás inmóvil, de modo que sabes hacerlo.

–Sí, es que... no me gusta lavarme el pelo –le confesó Nawar.

–Entonces, tal vez te mueves más de lo que deberías cuando Fadwa te lo lava, ¿eh?

–A lo mejor.

–Tendrás que quedarte muy quieta mientras yo te lavo el pelo porque, si te entrase jabón en los ojos, me pondría muy triste.

–Yo no quiero que estés triste.

–Y yo tampoco.

Iris logró lavar el largo cabello de la niña sin que le entrase jabón en los ojos y, después de bañarse de nuevo y hacerse una exfoliación de arena, Nawar le hizo prometer que a partir de aquel momento solo ella le lavaría el pelo.

–Mientras esté en el campamento, por supuesto.

No podía prometerle nada más.

Después de secarse el pelo se vistieron para la fiesta y Genevieve le colocó un pañuelo de seda en la cabeza y alrededor de los hombros, a la manera tradicional.

Hacía juego con la *galabiya*, de color azul pavo real, y cuando volvían a la jaima Iris se sentía como una princesa árabe.

–No había visto esa *galabiya* en mucho tiempo –comentó el abuelo de Asad cuando entraron–. Es una de mis favoritas.

–Ah, entonces no debería habérmela puesto...

–Tonterías –el viejo jeque sonrió e Iris pudo ver lo

que había atraído a Genevieve tantos años atrás–. Es lógico que mi mujer la haya elegido para ti. El color es perfecto para destacar tu pálida piel y ese cabello rojo como el fuego, tan raro entre nuestra gente. Los otros invitados se quedarán maravillados por la belleza de las mujeres de mi casa.

Iris se ruborizó.

–Muchas gracias.

–Estoy de acuerdo, abuelo. Esa *galabiya* azul le queda preciosa –las palabras habían sido pronunciadas por Asad.

–En realidad, la eligió Nawar –dijo Genevieve.

–Es el atuendo tradicional de las mujeres de mi casa.

A Iris le había parecido una coincidencia que la cinta azul en el bajo del vestido de Nawar estuviese hecha con plumas de pavo real. Y el de Genevieve, de color melocotón, tenía pavos reales en el estampado.

La *galabiya* de Iris los llevaba bordados con lentejuelas en el cuello y alrededor del bajo. Era una de las prendas más bonitas que había visto nunca, pero seguramente debería cambiarse.

–Yo no soy una mujer de tu casa, de modo que no debería llevarla.

–Eres nuestra invitada –dijo Asad, que parecía usar esa respuesta para todo.

–Pero...

–Además, es tu color favorito. Y a Nawar también le gusta ese tono de azul.

–También me gusta el rojo –dijo la niña.

–Ya lo sé, alhaja –Asad miró a Iris con una sonrisa en los labios–. Sería un insulto para mi abuela que no te la pusieras.

Iris asintió con la cabeza.

–Gracias por dejarme usar esta prenda tan preciosa, Genevieve.

–No tienes que darme las gracias. Al contrario, si te gusta, debes quedártela –dijo la mujer–. Se la habría regalado a Badra, pero ella prefería el atuendo occidental.

–No puedo quedármela –protestó Iris. No iba a quedarse con una prenda que debería haber sido de la difunta esposa de Asad.

–Ofenderías a mi esposa si no lo hicieras –intervino el abuelo, con su familiar arrogancia.

De tal palo, tal astilla, evidentemente. Pero Iris se encontró más divertida que irritada por tan clara manipulación.

Particularmente cuando vio cómo miraba Asad al viejo jeque. Parecía sentirse tan manipulado como ella y eso hizo que fuera más fácil aceptar la gentileza de su familia.

–Y eso no puede ser, ¿verdad? –Iris le hizo un guiño al abuelo–. Será un honor aceptar tan precioso regalo.

–Tu antigua compañera de universidad está coqueteando conmigo, Asad. ¿Has visto el guiño que le ha hecho a este viejo? –preguntó Hanif, riendo.

–Lo he visto –asintió él, con una de sus infrecuentes sonrisas–. La abuela tendrá que mantener los ojos abiertos durante la fiesta de esta noche.

Genevieve le dio una palmadita en el brazo.

–No lo animes o se pondrá a flirtear con las turistas otra vez.

–Las turistas me adoran. Un jeque del desierto a la antigua... –Hanif se señaló a sí mismo con gesto orgulloso.

–Seguro que sí –asintió Iris, mirando a Asad.

Imaginaba que las turistas también lo adoraban a él. ¿Flirtearía con ellas como su abuelo?

Si lo hacía, no sería una diversión inocente como en el caso de Hanif, de eso estaba segura. Pero no quería imaginar a Asad flirteando con otra mujer, de modo que intentó apartar de sí tales pensamientos.

Capítulo 7

LA FIESTA fue mucho más que una simple cena, como Asad le había dicho. Desde la cocina llevaban bandeja tras bandeja de platos suculentos, muchos más de los que Iris había visto preparar por la mañana.

La tienda estaba llena de parientes e invitados, todos emparentados de una forma o de otra con la familia de Asad. Y Russell, que estaba sentado a una mesa separada de la familia inmediata, parecía estar pasándolo tan bien como Iris.

Después de cenar, los hombres tocaron instrumentos y cantaron canciones tradicionales, algunas sobre trágicas historias de amor, otras, según Nawar, para los camellos.

–¿Para los camellos?

–Los ayuda a ser fuertes para cargar con sus pesados fardos –le explicó la niña, muy seria.

Iris asintió con la cabeza, aunque la idea le parecía muy extraña.

Asad cantó una balada de amor perdido y su ronca voz masculina voz hizo que fuese particularmente emocionante. Después, cantó una canción en un dialecto que Iris no entendía, pero la cadencia y el tono hicieron que su corazón se encogiese de anhelo.

Su turbación aumentó al notar que varios invitados

la miraban con curiosidad. Nerviosa, intentó disimular, pero Asad atraía inexorablemente su mirada.

Sus ojos se encontraron mientras cantaba las últimas notas, con una voz ronca y melódica que llevó lágrimas a sus ojos.

–¿Has disfrutado de mis humildes esfuerzos como trovador? –le preguntó después, mientras Nawar se sentaba en sus rodillas y apoyaba la cabeza en su torso.

Su padre le había permitido quedarse hasta más tarde de lo normal y parecía a punto de quedarse dormida allí mismo.

Iris se encontró mirando tan encantadora escena doméstica antes de responder:

–Sí, mucho. Como imagino le habrá gustado a todos los que te escuchaban. Eres un hombre de muchos talentos.

Su deseo de ser parte de esa escena era tan fuerte que sentía una opresión en el pecho. Aunque sabía que no había esperanza alguna de que eso ocurriera porque no había sitio para ella en el futuro de Asad.

Sin duda, habría otra perfecta princesa esperando, con un poco de suerte más leal que la difunta Badra.

–Me alegra oírlo.

–Seguro que te lo han dicho a menudo.

–Tal vez.

Iris sonrió.

–No te falta confianza en ti mismo, eso seguro.

–¿Y crees que no debería tenerla?

–No, Asad. Eres todo lo que debería ser un jeque del desierto.

–Mi papá es el *más mejor* jeque del mundo –dijo Nawar, tan cansada que no era capaz de hablar con propiedad.

–¿Incluso mejor que el jeque Hakim? –bromeó Iris–. Después de todo, él es el rey de Kadar.

–Mi padre es el jeque de los Sha'b al-Najid –replicó Nawar, intentando disimular un bostezo–. Eso es *más mejor*.

–Seguro que sí, cariño.

La niña cerró los ojitos.

–¿Por qué el símbolo de tu casa es un pavo real cuando tu tribu se llama «la gente del león»? –le preguntó Iris.

Incluso él llevaba el nombre de ese predador.

–El pavo real es el símbolo de las mujeres de mi casa.

–¿Y cómo se convirtió en el símbolo de las mujeres de tu casa?

–Uno de los primeros jeques de nuestro linaje le regaló tres pavos reales, un macho y dos hembras, a su esposa como regalo de boda. Eran aves muy exóticas, algo que nadie había visto hasta entonces, aunque como nómadas que eran veían muchas maravillas.

–¿Y de dónde sacó los pavos reales?

–No lo sé, pero su mujer se quedó tan encantada con ellos que los bordó en su ropa.

–Y las siguientes generaciones lo convirtieron en una tradición.

–Así es. Aunque no todos mis antepasados se aferraron a la tradición.

–Pero tú sí.

–A mi abuela le parecen preciosos... incluso las hembras, que no tienen una cola tan extravagante. Pero a Badra no le interesaba en absoluto –Asad se puso serio–. Era la princesa de un país vecino, pero prefería la vida occidental a cualquier cosa que nosotros pudiéramos ofrecerle.

–I...hizo a...

–I...caño a t...

Iris se sintió...

había s...o un frac...

–Lo...ieron, no...

–Es l...ntad...

–De t...

–Ven,...

entonces,...

Iris asi...

vitación. N...

las distanci...

el corazón i...

86

Pero man...ener las distancias ...a...hija era imposible. Despu...de años de ...chazo por parte de sus padres, Iris no e...capaz de desdeñar a la niña.

Además, le gustaba Nawar.

La ayudó a quitarse el vestido y ponerse un cami-
són, como había hecho tantas veces en el internado...

Tal vez el viejo adagio era cierto: algunas cosas eran
como montar en bicicleta. Uno no olvidaba cómo hacerlas, por muy joven que hubiera sido cuando aprendió.

Iris no tenía experiencia con niños siendo adulta,
pero en el internado a menudo había cuidado de las
niñas más pequeñas, de modo que metió a Nawar en
la cama y le cantó una nana para ayudarla a dormir.

–Eres buena con ella –dijo Asad mientras salían de
la habitación.

–Tengo alguna experiencia.

–No sabía que hubiera niños en tu vida.

Lo decía como si supiera de su vida mucho más de
lo que debería saber.

–No los hay.

...n ellos?

...sones y a cantar nanas a

...sma era una cría.

...dijo Asad.

...enviaron a un internado cuando tenía

...las noches, cuando el ama de llaves no

...ara contarme un cuento, me daba pánico.

...que es una práctica habitual en Occidente en-

...a los niños a internados, pero yo no lo apruebo

...comentó él, con el ceño fruncido.

No, un hombre tan dedicado a la familia como Asad no lo aprobaría. Y que sus padres se hubieran ido a Ginebra sin él le había hecho daño, aunque posiblemente jamás lo reconocería.

–En realidad, en América no es una práctica tan frecuente como en Inglaterra, particularmente para niños tan pequeños como lo era yo entonces.

–¿Y tus padres te enviaron a uno de esos internados?

–Sí.

–¿Cómo explica eso tu experiencia con niños pequeños?

–Cuando llevaba allí un año, llegó otra niña más pequeña que yo. Entonces tenía siete años y estaba acostumbrada. El resto de las niñas que estudiaban allí se iban a su casa después de las clases.

–Ya veo –murmuró Asad–. Pero tú te quedabas a dormir allí.

–Eso es.

–Y esa niña...

–La pusieron en mi habitación porque teníamos una edad parecida y yo la oía llorar todas las noches... echaba de menos a sus padres.

–¿Y tú la consolabas?

–Yo tenía una linterna y solía leerle cuentos. O le cantaba alguna canción para que se durmiera.

Iris volvía a su cama después de eso un poco menos triste ella misma.

–Se convirtió en una rutina para ti.

–Eso es. Aunque solo estuvo allí un semestre. Sus padres habían tenido un accidente y no podían cuidar de ella, pero en cuanto pudieron fueron a buscarla.

Iris se había quedado sin compañera de habitación hasta el año siguiente, cuando pusieron a dos chicas más con ella.

–La encargada de las habitaciones siempre hacía que pusieran a las niñas nuevas en mi cuarto.

–¿Incluso cuando eras mayor?

–Sí.

–Imagino que eso debía de ser una molestia para ti.

–No, al contrario. Entonces era una niña muy tímida, pero sabía cómo consolar a las más pequeñas y las ayudaba a acostumbrarse a la vida en el internado.

–Pues tuvieron suerte.

–También yo. Me habría sentido muy sola de no ser por ellas.

–¿No tenías amigas?

–Sí, claro.

–Pero no amigas íntimas –dijo él, tan perceptivo como siempre.

–Cometí el error de encariñarme con un par de niñas al principio, pero luego se marchaban y yo me quedaba allí...

Y había aprendido desde entonces a no encariñarse con nadie.

Pero entonces apareció Asad y había abierto su corazón de nuevo... aunque también él se había ido.

−¿Y ahora?

−¿Ahora qué?

−¿Tienes amigos? −le preguntó Asad, con voz tensa.

−Russell.

−¿Tu ayudante?

−Lo dices como si fuese algo malo. Russell es un chico estupendo −dijo Iris. Y era cierto; le caía muy bien su ayudante, que siempre contaba chistes viejísimos que solo otro geólogo podría entender.

−¿Te sientes atraída por un chico más joven que tú?

Russell estaba en primero de carrera y era tan joven como lo había sido ella cuando conoció a Asad.

−Tiene veinte años. Además, ¿qué importa eso?

−Respóndeme. ¿Tenéis una relación? −insistió él.

Iris puso los ojos en blanco.

−Si no te conociera, diría que estás celoso.

−¿Quién dice que no lo estoy?

−Por favor, Asad... ¿cómo vas a estar celoso de un empollón de ciencias?

−¿Te sientes atraída por él?

Podría ser, pensó Iris. No por Russell, que era como un hermano pequeño para ella, sino por algún otro colega... si no hubiese comparado a todos los hombres con Asad.

−Me has preguntado si tengo amigos y Russell es un amigo.

Y un amigo reciente, además.

−Me alegro de que lo sea. ¿Tienes muchos amigos?

−No, la verdad es que no.

−Sin embargo, es bueno tenerte a ti como amiga.

Iris emitió un bufido de incredulidad. Si de verdad pensara eso, no habría rechazado su amistad.

−Muchas gracias.

–Una vez, fuiste mi amiga. Solo más tarde me di cuenta de lo que perdí cuando esa amistad tuvo que terminar.

–No tuvo que terminar, Asad, tú decidiste que así fuera. Deja de intentar reescribir la historia.

–¿De verdad crees que podríamos haber seguido siendo amigos cuando me casé con Badra?

Sí, tenía razón. Probablemente debería darle igual que hubiese echado de menos su amistad y, sin embargo, saberlo curaba un poco el dolor de haberlo perdido.

–Me gustaría que volviéramos a ser amigos –dijo Asad entonces.

–Quieres que volvamos a acostarnos juntos. Eso no es una amistad.

–Podría serlo.

–¿En serio? ¿Y qué pasará cuando vuelva a Estados Unidos?

–No pienso alejarte de mi vida otra vez, Iris –dijo Asad entonces, en un tono que parecía un juramento que la desconcertó y la asustó a la vez.

Porque esas palabras no eran solo una promesa, eran también una amenaza.

–No creo que pudiera ser tu amiga.

Lo que quería decir, y no dijo, era que para ella su relación había sido algo más que sexo y amistad. Y, desgraciadamente, probablemente siempre lo sería.

–Inténtalo. Veamos dónde nos lleva.

No la llevaría al altar, eso seguro. Y saber la verdad desde el principio tenía que contar para algo, ¿no?

–Me quieres en tu cama.

–Sí, es cierto –asintió él.

–Y también quieres ser mi amigo.

–Eso es.

–¿Y en qué nos convertiría eso? –le preguntó Iris.

–En lo que tú quieras.

Esta vez escuchó lo que decía, no lo que ella quería escuchar. No estaba haciéndole ninguna promesa. Iris quería ser parte de su mundo, como él había sido parte del suyo, pero eso no iba a pasar. Había echado de menos a Asad porque lo había dejado entrar en su corazón, en un sitio que había intentado proteger desde la infancia.

Y él estaba ofreciéndole algo más que un simple revolcón. Estaba ofreciéndole una amistad que, supuestamente, no terminaría cuando terminase su trabajo allí.

Iris no sabía si quería eso, pero tampoco sabía si quería apartarse de él mientras estuviera en Kadar. Llevaba seis años sin salir con nadie y soñando con él más noches de las que se atrevía a contar...

¿Podría una aventura con Asad hacer que lo olvidase para siempre? Estar lejos de él no había servido de nada. Los psicólogos de pacotilla dirían que había que romper del todo una relación para seguir adelante. Si quería acabar con la soledad de su vida, tenía que seguir adelante y, para eso, tendría que arriesgarse de nuevo.

Tal vez eso era exactamente lo que necesitaba.

Había echado de menos a aquel hombre cada día durante los últimos seis años. Perderlo le había roto el corazón, pero tal vez estar con él de nuevo, sabiendo que era algo temporal, la ayudaría a curar. Tal vez dejarlo entrar en su vida otra vez era la única forma de romper las barreras que había construido a su alrededor.

Le gustaría creer que podía decirle que no, pero sabía que, si lo intentaba, se llevaría una desilusión consigo misma. Además, no quería hacerlo.

Saber que Badra lo había traicionado cambiaba su punto de vista. Al menos, sabía que Asad no era invulnerable al dolor, aunque no sabía por qué le importaba eso. Lo importante era que lo deseaba más de lo que hubiera creído posible después de todo lo que había ocurrido entre ellos.

Si volvía a la cama de Asad, sería con los ojos bien abiertos a la realidad del pasado y a lo poco que podía esperar del futuro.

¿Podía vivir con eso?, se preguntó. No lo sabía, pero estaba segura de que no podría vivir sin estar con él de nuevo.

El silencio se alargó y Asad metió una mano bajo el pañuelo que cubría su cabeza para acariciar su pelo.

—No voy a perderte otra vez.

Iris lo miró, incrédula, antes de apartar la cortina para volver a la fiesta.

Le gustaría retenerla allí un poco más, exigirle que reconociese la verdad, pero no era el momento.

Se mostraba desconfiada y la entendía. Pero la cortejaría y la convencería de que los errores del pasado debían quedar en el pasado.

La había llevado a Kadar para ayudarle en su carrera, pero también porque nunca la había olvidado. Ni su amistad ni la ardiente relación en el dormitorio.

Y quería volver a calentarse con ese fuego.

No sabía dónde los llevaría eso, pero sí sabía que ya no estaba buscando una perfecta princesa con la que compartir su vida.

Lo que Iris le había contado sobre su infancia lo había dejado horrorizado. Si sus padres hubieran vi-

vido entre los Sha'b al-Najid no solo habrían perdido
a su hija, sino su sitio en la tribu por un comportamiento tan poco natural. Que unos padres abandona-
ran a un hijo de ese modo era horrible, pero que esa
niña fuera su antigua amante lo enfurecía.

Una de las primeras cosas que había notado en Iris
era la vulnerabilidad que intentaba esconder y, de
niña, debió sentirse atormentada por la indiferencia
de sus padres.

Asad no podía imaginarlo siquiera, aunque ella tenía razón: el rechazo de sus padres lo había afectado.
Por eso, había decidido siendo muy joven que él nunca
dejaría atrás a un hijo como habían hecho ellos.

Sí, también él se había sentido ignorado por sus padres y había pensado que no les importaba.

Pero ellos habían vuelto con los Sha'b al-Najid
más frecuentemente de lo que les convenía para pasar
algún tiempo con su hijo mayor. Y aunque aceptaron
que fuese criado por sus abuelos, su padre exigió que
Asad viajase a Ginebra al menos un fin de semana al
mes cuando era pequeño.

Él no quería visitarlos tan frecuentemente y no sabía que a sus padres les doliese que no fuera a verlos,
pero la elección de irse de la tribu y dejarlo allí había
sido suya.

A pesar de todo, no habían sido tan crueles como los
padres de Iris. Él jamás habría hecho eso, pensó. Apartarse de Nawar había sido imposible desde el día en que
nació, aunque entre ellos no hubiera lazos de sangre.

Sintiendo un inexplicable deseo de protegerla, Asad
no se separó de Iris durante el resto de la fiesta, con-
tento al ver cuánto disfrutaba de las fiestas beduinas
que a Badra siempre le habían parecido provincianas

y aburridas. La mimada hija pequeña del rey de un país vecino, había rechazado su primera proposición de matrimonio, diciendo que ella nunca se casaría con un cabrero ignorante.

Asad, que entonces tenía dieciocho años y solo había visto a las cabras para tomar lecciones que, según su abuelo, no podían ser estudiadas en los libros, se sintió terriblemente ofendido. E igualmente intrigado por la mimada y hermosa criatura que se creía demasiado buena para él.

Cualquier mujer de su tribu o las que había conocido en Ginebra, cuando iba a visitar a sus padres, se habría sentido halagada al recibir una oferta de matrimonio. Sin embargo, Badra, que tenía un año más que él, lo había rechazado inesperadamente.

Y no podría haber encontrado mejor manera de despertar su interés.

Se habían conocido durante unas negociaciones entre el abuelo de Asad y el padre de Badra. Como era la costumbre, las negociaciones tuvieron lugar en el palacio del rey, que había solicitado los servicios de su abuelo para trasladar mercancías por el desierto.

Badra le había parecido una joven sofisticada y bella. Además, era una princesa y, como futuro jeque, él debía casarse con la hija de un rey.

Asad sonrió al recordar su ingenuidad y su arrogancia.

Que Badra no se mostrase impresionada por su pedigrí cimentó su interés por ella y lo decidió a ganarse su corazón. Iría a la universidad en Occidente y haría que su tribu fuese envidiada por todos. Una tribu a la que la princesa Badra quisiera pertenecer.

De modo que se fue a la universidad para aprender

a llevar la empresa familiar, decidido a volver al desierto con Badra a su lado.

El único problema había sido el afecto que sentía por su amante, Iris Carpenter. Pero siendo un hombre de considerable fuerza de voluntad, Asad se había obligado a apartarla de su vida e intentar conseguir la mano de Badra porque eso sería lo mejor para su gente.

El padre de Badra era un político con mucho peso en la zona, un aliado, y la inocente y protegida Badra una mujer hermosa que su pueblo admiraría.

Asad sacudió la cabeza. Qué tonto había sido.

No se había sorprendido en absoluto cuando Badra aceptó su segunda proposición de matrimonio, pensando que su padre la había convencido de las ventajas de tal unión. Pero durante su noche de boda descubrió las verdaderas razones para esa capitulación.

Badra no era la virgen que él había imaginado y, además, estaba embarazada. Algo que descubrió a la mañana siguiente, cuando se levantó de la cama a toda prisa para vomitar, como había visto hacer a las mujeres embarazadas de su tribu.

Asad había exigido saber la verdad y ella lo admitió todo entre lágrimas. Había tenido una aventura con un hombre casado y estaba esperando un hijo suyo. Decía tener pánico de la reacción de su padre si lo descubría y que, además, Asad siempre le había gustado. Según Badra, había aprendido la lección y por eso había aceptado su proposición de matrimonio.

Ella no pensaba estar haciéndole ningún mal y había descubierto que el bebé que esperaba era una niña. Asad no rechazaría a una niña inocente solo porque fuera el resultado de un error de su madre, ¿verdad?

Badra intentó aprovechar la baza de Asad como

hombre moderno, educado a la manera occidental, y él aceptó sus explicaciones porque su orgullo no le permitía hacer otra cosa, tragándose sus palabras como se tragaba un camello el agua de un oasis después de una semana recorriendo el desierto.

Quiso creer que había cambiado de verdad e incluso aceptó el papel que su propio orgullo había hecho en ese matrimonio. Había insistido en casarse con ella y con ninguna otra... Badra no iba a rechazar al león del desierto.

Ella le juró que había roto con el padre de su hija cuando aceptó casarse con él y, aunque Asad tenía sus dudas, no dijo nada. Incluso había hecho lo posible para que su matrimonio funcionase.

Pero sus dudas se habían visto refrendadas un mes después del nacimiento de Nawar, cuando su jefe de seguridad le informó de las comunicaciones entre Badra y su antiguo amante. Pero ya era demasiado tarde. Asad adoraba a su hija y no la perdería por nada del mundo.

Su esposa era una mentirosa redomada y por culpa de esa mujer, y de su propio orgullo, Asad había perdido su amistad con Iris, una persona cuya lealtad e integridad jamás habían estado en cuestión.

Al contrario que Badra, con sus engaños y maquinaciones, Iris hubiera pensado en los demás antes que en ella misma porque estaba en su naturaleza. Y, conociendo un poco mejor su pasado, Asad encontraba eso digno de admiración.

Capítulo 8

CUANDO el último de los invitados se fue de la fiesta, Iris salió con Asad de sala principal para ir a los dormitorios.

–Hay una habitación que aún no has visto –dijo él cuando llegaron a una puerta.

Iris había pasado las últimas horas de la fiesta preguntándose qué debía hacer y, al final, había tomado una decisión. Una cosa era segura: Asad no iba a darse por vencido. Sabía lo decidido que era y no se hacía ilusiones de que esta ocasión fuera a ser diferente. La deseaba y haría todo lo posible por tenerla.

Podía pasar las próximas semanas haciendo lo imposible por evitarlo y por contener el deseo que sentía por él, pero no estaba convencida de que eso la llevase a ningún sitio.

Si se permitía a sí misma amarlo de nuevo, estaba perdida, pero había otra opción.

Había decidido que compartir su cama de nuevo la ayudaría a olvidar. A veces, la única forma de revivir era a través del fuego, como el Fénix.

Pero esta vez sería ella quien le dijese adiós y, por eso, no pasaría los próximos seis años viendo su cara cada vez que miraba a otro hombre.

Tal vez la única manera de escapar de su solitaria existencia era a través de Asad. Sabía que no había futuro para la relación y no se permitiría a sí misma esperar uno... o volver a enamorarse de él.

Esa sería la gran diferencia. Tenía que serlo.

–Tienes razón –dijo con voz ronca–. No he visto tu habitación.

–¿Te gustaría hacerlo?

–¿No ofenderíamos a tus abuelos?

Iris no era tan ingenua como para creer que sus abuelos no intuirían algo, aunque saliera de la cama de Asad de madrugada.

Ese tipo de cosas siempre acababan sabiéndose. La intimidad física siempre se notaba de una forma o de otra cuando las personas involucradas intentaban esconderla. Y Asad era demasiado orgulloso y arrogante como para intentarlo siquiera.

Asad tiró de ella para apretarla contra su torso.

–Ahora soy un jeque. No hay ofensa en que haga lo que me plazca en mi propia casa.

Iris dudaba de que fuera tan fácil como eso, pero aquel hombre siempre había vivido con sus propias reglas, por tradicionales que fueran los beduinos a veces.

–Estás siendo muy arrogante.

–Estoy seguro de cuál es mi sitio.

Ella asintió con la cabeza, por el momento igualmente segura del suyo.

–Demuéstramelo.

Las aletas de su nariz se abrieron y sus ojos ardían cuando se clavaron en ella.

–Será un placer para mí.

–Si no recuerdo mal, el placer siempre era mutuo.

–Sí, es cierto.

Cuando Asad la llevó a su habitación, Iris se quedó

sorprendida al ver que era tan grande como la suya, pero con una cama enorme cubierta por almohadones de seda y una colcha con un león bordado en el centro. Entre la enorme cama y los pocos muebles, apenas quedaba sitio para nada más.

Un frufrú de tela hizo que volviese la cabeza. Asad estaba quitándose la *kuffiya*, revelando el oscuro cabello que enmarcaba unas facciones fieras. Bajo la ornamentada túnica que había llevado a la fiesta llevaba los tradicionales pantalones holgados y... ¿una camisa de Armani?

Iris sonrió.

–¿Qué? –preguntó él, deteniéndose un momento para mirarla.

–Llevas una camisa de Armani bajo la túnica tradicional.

Asad se encogió de hombros.

–Prefiero llevar sus camisas –murmuró, quitándose los pantalones–. Y sus calzoncillos.

Iris se quedó sin aliento al ver sus bronceadas piernas, con unos músculos marcados que le gustaría tocar...

Una vez había creído que ese cuerpo le pertenecía. Sabía que no era así, pero mientras compartiese su cama podía seguir creyendo que era suyo.

–Eres muy atractivo –murmuró, con voz entrecortada.

El bulto bajo los calzoncillos de seda negra le decía que su deseo por ella era real.

Asad desabrochó la camisa, revelando un torso cubierto de vello oscuro.

–Antes te lo afeitabas –comentó Iris.

Él frunció el ceño.

–Estaba intentando ser más... moderno.

–¿Por qué? Siempre te has sentido orgulloso de ser quien eres.

Era una de las muchas cosas que la habían impresionado de él, que sabía quién era. Pero tal vez no estaba tan seguro de sí mismo como quería aparentar. Y saber eso hizo que viera el pasado de otra forma, una que curaba un poco más las viejas heridas.

–Hablaremos de eso en otro momento –Asad dio un paso adelante–. Ahora no es momento de hablar.

Iris no tenía intención de discutir. Habían pasado seis años desde la última vez que se sintió tan excitada y él aún no la había besado siquiera.

Pero Asad rectificó ese error con un rápido movimiento, apretándola contra su torso y apoderándose de su boca al mismo tiempo, pasión y deseo explotando en su interior.

Todo lo que había intentado contener durante seis años, pero especialmente durante los últimos dos días, se desató entonces, haciendo que se apretase contra su cuerpo para devolverle beso por beso, caricia por caricia.

Asad se apartó un poco para respirar, jadeando.

–Ha pasado mucho tiempo. Demasiado.

Y ella estaba de acuerdo.

–Sí.

–¿Para ti también? –le preguntó Asad, sus ojos castaños casi negros de pasión.

Iris no podía negarle la verdad.

–Para mí también.

Había pasado demasiado tiempo desde la última vez que la tocó y su agitación lo demostraba. Después de un par de besos, sentía como si un mero roce en su parte más íntima pudiera enviarla al clímax.

Asad siempre había sabido cómo tocarla para darle placer, pero aquello era diferente. Aquella sensación de felicidad que nacía en su interior al saber que, durante un tiempo, por breve que fuera, iban a ser uno solo otra vez era inexplicable.

Pero no lo amaría, esta vez no. Sus cuerpos se unirían, pero no sus corazones. Era demasiado lista para eso.

«Por favor, Dios, deja que sea demasiado lista para eso».

–Ven conmigo a la cama, vamos a crear recuerdos buenos que suplanten a los antiguos.

Asad siempre sabía lo que debía decir, pero eso no debería sorprenderla. Aparte del día que la dejó, siempre había sabido lo que ella necesitaba escuchar.

–Nuevos recuerdos –repitió, sin aliento, mientras él le quitaba el pañuelo de la cabeza.

–Siempre me ha encantado tu pelo. El rojo es tan profundo y único, suave como la seda –Asad pasó los dedos por su pelo con expresión seria.

–Es el champú y el acondicionador que uso.

–¿Tú crees?

Iris asintió con la cabeza. Ella no era una mujer particularmente frívola, pero siempre había insistido en usar productos de calidad y que Asad pudiera pasar los dedos entre los mechones hacía que su pequeña idiosincrasia mereciese la pena.

–Yo creo que es magia.

–¿Crees que es magia? –repitió ella, con los ojos empañados por unas lágrimas que pensaba contener aunque le fuese la vida en ello.

Asad dio un paso atrás para mirarla a los ojos.

–¿Estás segura de que quieres hacerlo?

Esa pregunta la sorprendió, aunque tal vez no debería. Por decidido que fuera, Asad siempre había sido un hombre de honor.

—Sí, estoy segura.

—Entonces, borremos los tristes recuerdos del pasado.

—¿Qué recuerdos quieres borrar? —le pregunto Iris, aunque lo único que quería era seguir adelante y olvidarse de todo lo demás.

Asad se encogió de hombros.

—Tú siempre fuiste sincera conmigo.

—Tú también.

Aunque durante mucho tiempo había pensado que no era así.

—Sí, es cierto.

—¿Entonces es un nuevo comienzo para los dos?

—Sí.

Había debido de sufrir mucho con la infidelidad de Badra y quería volver atrás, a un tiempo en el que podía confiar en la mujer con la que se acostaba. Y ella quería lo mismo.

—Entonces, estoy absolutamente segura.

Asad asintió con la cabeza mientras le quitaba la *galabiya* con gesto reverente y una expresión indescifrable, pero intensa y primitiva.

¿Era dominio lo que brillaba en sus ojos?

¿O deseo?

Daba igual. Durante unas breves horas, dejaría que su cuerpo fuera suyo, no solo su corazón.

Él desabrochó el sujetador, sonriendo.

—Sigues llevando una ropa interior tan femenina bajo las camisetas y vaqueros...

—Esta noche no llevaba vaqueros.

–Pero te has puesto esto –Asad tiró del sujetador de encaje color champán y lo dejó caer sobre la alfombra.

No podía negarlo. Vestía como una científica asexuada casi todo el tiempo, pero su ropa interior siempre era muy femenina. Otra de sus debilidades.

Asad puso las manos sobre sus pechos, rozando sus pezones con los pulgares, y ella contuvo el aliento mientras la miraba con un brillo de admiración en los ojos.

–Respondes como antes...

Cuando miró hacia abajo, Iris sintió la caricia de su oscura mirada, aunque su parte más íntima seguía escondida bajo el tanga a juego con el sujetador.

–Es un estilo nuevo. Me gusta.

–Han pasado seis años desde la última vez que me viste en ropa interior.

–Y estoy deseando ver qué sorpresas me esperan en estos días.

Lo cual implicaba que no iba a ser cosa de una sola noche, pensó Iris. Aunque ya lo sabía porque Asad lo había dejado claro cuando admitió que la quería de vuelta en su cama. Pero saber con certeza que esa noche solo sería la primera de muchas la llenó de felicidad.

–Quítate las braguitas –le ordenó, con voz ronca.

–¿Por qué no lo haces tú?

–No puedo dejar de tocarte –esa admisión la afectó tanto que estuvo a punto de apartarse. Pero sus caricias, que no solo le daban placer a ella sino a él, hacían imposible que diera un paso.

Pronto, los dos estuvieron desnudos y tumbados sobre la cama, las manos de Asad creando un mapa sobre su cuerpo, como si intentase memorizarlo, comparándolo en su memoria y marcando las diferencias y las similitudes.

Iris no recordaba que hubiera hecho algo así antes, ni siquiera la primera vez.

Algo esa noche era diferente también para él, pero no iba a especular sobre lo que podría ser. Había especulado erróneamente antes y no podía permitirse el lujo de cometer otro error.

Asad se inclinó sobre ella, mirándola con toda seriedad.

—Eres la primera mujer que traigo a esta cama.

Pero había estado casado...

—¿Y Badra?

—Badra tenía su propia habitación.

Iris no podía imaginarlos haciendo el amor en esa cama tan pequeña, de modo que la cama de Badra debía de haber desaparecido junto al resto de sus cosas.

—¿Lo dices para que me sienta halagada?

Después de hacer la pregunta deseó retirarla. Tal vez no era amor, pero aquel momento era demasiado profundo para sarcasmos.

Afortunadamente, su tierna sonrisa le decía que no lo había ofendido.

—Soy yo quien se siente halagado teniéndote aquí.

De modo que eso era lo que quería, que se sintiera hornada por tal distinción. Y así era, pero no iba a decírselo.

—Bésame, Asad.

Y él lo hizo, dejando escapar un gemido ronco mientras se movía sobre ella de esa forma dominante que Iris recordaba tan bien. Asad era un amante agresivo que despertaba sus sentidos con la clara intención de seducirla y excitarla. Sabía cómo sacarle más de lo que ella había querido darle y, sin embargo, llenarla de gozo.

Iris le devolvía las caricias, disfrutando de su habilidad para excitarlo y hacer suyo a aquel hombre magnífico.

Sus besos eran incendiarios, el fuego que creaba imposible de extinguir. Tensa de deseo, su cuerpo recordaba las caricias de Asad y la capacidad para sentir placer que él le había enseñado que tenía.

La llevó al primer orgasmo con la mano, sin dejar de besarla, tragándose sus gritos de placer. Luego, fue besando su cuerpo hacia abajo, dejando un rastro de fuego que culminó en un cosquilleo entre sus piernas.

Iris llegó al orgasmo por segunda vez mientras Asad lamía su clítoris con sabiduría, apretando sus pezones con dos dedos para aumentar el placer hasta hacerla gritar.

Intentó taparse la cara con una almohada para ahogar sus gritos, pero Asad se la quitó de las manos.

—Quiero oírte gritar de placer.

—Pero las paredes de la tienda...

—Ahogan los sonidos mejor de lo que puedas imaginar, mi pequeña occidental.

—Ese era el problema, ¿verdad? —le preguntó Iris sin poder evitarlo—. Era demasiado occidental para tu gente. Como tu madre.

—Mi abuela también es occidental y se adaptó.

—Pero su hijo no lo hizo.

—No, es cierto —Asad sacudió la cabeza—. ¿Por qué estamos hablando de mis padres ahora?

—Porque... —Iris no terminó la frase, sin saber lo que iba a decir, lo que estaba dispuesta a admitir. Aunque no quería, siempre había intentado entender por qué Asad renunció a ella. Lo que había entre los dos era increíble, mucho más que una relación sexual–. Entonces era inocente, pero incluso yo sabía que entre nosotros había algo especial. El sexo fue fantástico desde el primer día.

Y todo lo demás también.

–¿Por qué me dejaste, Asad?

Él suspiró, mirándola a los ojos.

–Había planeado casarme con Badra desde los dieciocho años.

Y él era el tipo de hombre que cuando tenía un plan lo llevaba a cabo. ¿Podía ser tan sencillo?

–No había nada malo en ti, Iris –siguió él.

Sencillamente, no era la princesa árabe que había querido como esposa, pensó ella.

–Cuando me dejaste, sentí que había hecho algo mal, que me faltaba algo.

–No es así –Asad besó su cuello y sus hombros, haciéndole un chupetón que la hizo temblar–. Eras la amante perfecta.

Pero no la perfecta candidata para esposa de un jeque.

–Y tú eras un amante fabuloso.

Asad clavó en ella sus ojos, recordándole al león por el que le habían puesto nombre.

–Entonces, ahora seré más que fabuloso.

–¿Quieres que me desmaye de placer? –bromeó Iris.

–Ha ocurrido antes.

Sí, era cierto.

–Cuando quieras –murmuró ella, como si no le importase. Pero los dos sabían que no era verdad, nunca había sido indiferente. Nunca lo sería, pero tal vez podría aprender a decirle adiós sin morirse de pena.

–Tienes una expresión seria que no me gusta –dijo Asad entonces, con el ceño fruncido–. No estás pensando en mí.

–Pues claro que estoy pensando en ti. ¿En quién iba a pensar estando en tu cama?

–Solía preguntármelo...

–¿Qué? ¿Por qué dices eso?

–No eras virgen cuando nos conocimos –Asad la miró a los ojos.

–No, pero era lo más parecido a una virgen que puedas imaginar.

–¿Qué quieres decir?

–¿Creías que había tenido una larga lista de amantes antes de ti?

–Prefiero no saber los detalles.

El arrogante y posesivo jeque, pensó Iris. Aunque no tenía intención de seguir con ella, no le gustaba saber que había sido de otro hombre. No merecía saber la verdad, pero tal vez ella sí merecía que la supiera.

Seis años antes, había pensado que su inocencia era evidente y solo había descubierto que no era así cuando rompió con ella.

–Perdí mi virginidad por una apuesta.

–¿Cómo dices?

Iris sonrió al ver su expresión espantada.

–Después del internado, mis padres me enviaron a un colegio conocido por su programa de ciencias.

Al menos, les había importado lo suficiente como para aceptar el consejo de su tutor.

–¿Y bien?

–Los alumnos eran los típicos empollones, aunque

también había algunos que, además, poseían cualidades atléticas. No era fácil entrar en ese colegio porque había que tener muy buenas notas.

–Imagino que las tuyas serían estupendas.

Sí, desde luego. Pero ser inteligente no era lo mismo que ser lista y espabilada, como Iris había descubierto muy pronto.

–Yo era la típica chica tímida que siempre tenía la cabeza enterrada en los libros y que no hacía amigos fácilmente.

–Porque te daba miedo encariñarte con ellos.

–Sí, en parte.

Y en parte porque no sabía cómo hacerlos.

Asad inclinó a un lado la cabeza.

–Yo hubiera sido tu amigo.

Iris sonrió.

–No lo creo. Tú hubieras sido uno de los chicos más populares del colegio y ni siquiera te habrías fijado en mí.

–Me fijé en ti en la universidad y no creo que para entonces hubieras cambiado demasiado.

–Cierto –asintió Iris. ¿Por qué estaba compartiendo su pasado con él cuando no había futuro para esa relación?, se preguntó–. ¿Seguro que quieres saberlo? Es historia antigua.

–Cuéntame lo de la apuesta.

–Los chicos del último curso hicieron una apuesta para ver quién se beneficiaba más chicas.

–¿Beneficiaba? –repitió Asad.

–Significa acostarse con ellas.

–Ah, ya veo. Y a esa edad, tú eras virgen.

–Lo era, sí. Cuando el chico que decidió incluirme en su lista empezó a flirtear conmigo yo no sabía lo que estaba pasando. Las demás chicas sabían lo de la apuesta, pero yo no sabía nada. Entonces era una cría.

–No prestabas atención a lo que había a tu alrededor, concentrada siempre en los libros.

–Eso es –asintió ella–. Pensé que solo quería ser mi amigo y la verdad es que al final lo pasábamos bien juntos.

Asad hizo una mueca.

–Y te acostaste con él.

–Sí –dijo Iris–. Aunque, a pesar de mi ingenuidad, no le resultó tan fácil porque la idea de que quisiera acostarse conmigo me resultaba increíble.

–Y el sexo era un encuentro demasiado íntimo para ti, algo que habías aprendido a evitar.

–Me entiendes tan bien. Y Darren también me entendía. No era una persona cruel, pero era mi primera vez y no lo hacía porque me gustase... en realidad, nunca había deseado a nadie de ese modo hasta que te conocí. Yo solo quería ser su amiga.

–Menudo canalla.

–No era un canalla. Un egoísta y un irresponsable, sí –Iris se encogió de hombros–. Yo no supe nada de la apuesta hasta dos días después, cuando otro de los chicos vino quejándose porque él era el ganador hasta que Darren se acostó conmigo.

–Menudo imbécil.

–Sí, este sí era un imbécil. Quería dejar claro que Darren no me quería... como si yo no lo supiera.

Había creído que era su amigo y se había sentido traicionada, aunque al final consiguieron hacer las paces.

–Pero te acostaste con él.

–Porque se iba del instituto.

—¿Y por eso le regalaste tu virginidad?

—No espero que lo entiendas –dijo Iris—. Darren se sentía culpable y me pidió perdón mil veces.

—¿No me digas que lo perdonaste?

—Era uno de mis mejores amigos.

Aunque no habían vuelto a verse, seguían en contacto por teléfono y por correo electrónico. Incluso la había invitado a su boda y le había presentado a su mujer como «la chica que lo había convertido en el hombre que era». Según Darren, la apuesta había hecho que entendiera que se dejaba presionar por los demás.

—No puedes decirlo en serio.

—Claro que sí.

—No puedes ser amiga de ese chico. Te lo prohíbo.

Iris soltó una carcajada.

—Demasiado tarde. Ya no es un chico, es un hombre casado y con dos hijos que trabaja en el cuerpo diplomático.

—Ah, vaya, todo un caballero –dijo él, sarcástico.

—Darren me pidió disculpas y seguimos siendo amigos. Me hizo daño, pero no me abandonó como hiciste tú. Y dejó de hablarse con el chico que me contó lo de la apuesta...

—También yo te pedí disculpas.

—Estoy en tu cama –le recordó Iris—. ¿Qué más quieres, Asad?

Capítulo 9

LA PREGUNTA tomó a Asad por sorpresa. Ella tenía que saber lo que necesitaba.

–Tu perdón.

Iris lo miró en silencio durante unos segundos, sus cautivadores ojos azules cargados de preguntas.

–Te perdono –dijo por fin.

¿Podía ser tan fácil?

–No lo dices de corazón.

–¿Estaría aquí si no te hubiera perdonado? –le preguntó ella, de nuevo refiriéndose a su cama, sus cuerpos desnudos apretados el uno contra el otro, su precioso pelo rojo extendido sobre la almohada.

–Perdonas muy fácilmente.

–No lo creas.

–Sí lo creo –insistió Asad.

Aunque no sabía por qué la regañaba por algo que él estaba disfrutando.

–¿Estás diciendo que no quieres que te perdone?

–No –respondió Asad. Quería que confiase en él, pero sabía que su perdón no incluía la confianza–. Quiero hacerte mía.

No era lo único que quería, pero no se atrevía a decir nada más. La respuesta de Iris fue envolverlo en sus brazos, pero Asad sabía que se guardaba algo porque había una sombra en sus ojos que no había visto antes. Probablemente inevitable considerando su historia, pero no le gustaba.

Iris no le ofrecía su total confianza, como había hecho seis años antes, y entendió entonces que se había aprovechado de ese regalo sin valorarlo lo suficiente, como ese estúpido chico del instituto. Pero Asad era mayor y más adulto ahora y recuperaría esa amistad que para él había sido tan valiosa.

Si Iris podía perdonar al idiota que le había robado su virginidad, incluso llamarlo «amigo», también podía confiar en él.

Asad alargó una mano para buscar un preservativo. Era hora de unir sus cuerpos para que no pudiera seguir escondiéndose. La había llevado al pináculo de placer dos veces porque sabía que él no podría aguantar mucho...

Solo había tenido su mano para darse placer desde mucho antes de la muerte de Badra y no era suficiente, sobre todo teniendo a Iris cerca.

La idea de tener otra amante, una que pudiera traicionarlo o peor, a su hija, había sido anatema para él desde que nació Nawar. Las necesidades de su hija eran lo primero y dejarla para tener relaciones con una mujer simplemente para satisfacer sus ansias corporales no le había parecido aceptable.

Intentando contenerse, guio su miembro hacia la deliciosa abertura, presionando hacia delante para hundirse en la ardiente miel que no había podido olvidar por mucho que lo intentase. Y cuando ella lo envolvió, tuvo la sensación de estar volviendo a casa.

Aquel era su sitio. Por el momento, al menos.

Iris dejó escapar un gemido cuando la hizo suya y Asad se tragó ese gemido con un beso.

La extraña sensación de volver a casa era tan fuerte una vez que se hundió en ella que no podía moverse. A pesar del deseo que exigía liberación, permaneció inmóvil saboreando esa extraña sensación.

–No volveré a abandonarte –le prometió con la pasión de un beduino–. Seré tu mejor amigo.

–Un amigo muy posesivo.

–Lo soy.

–Siempre lo has sido.

Asad no podía negarlo.

–¿Vas a moverte o no? –le preguntó ella, con voz estrangulada.

–¿Quieres que lo haga?

El cuerpo de Iris se cerró a su alrededor como respuesta, exigiendo que la escuchase.

Y Asad la escuchó, haciéndole el amor con menos finura de la que pretendía. Pero, en lugar de sentirse molesto por su falta de control, disfrutó de ella. Aquello era lo que se había perdido durante tanto tiempo...

Aquella primitiva, ingobernable pasión. La herencia beduina, no la urbanidad que Badra había exigido.

El placer creció como un volcán dentro de él, deseando entrar en erupción. Asad apretó los dientes, intentando contenerse mientras hacía lo posible para llevar a su *aziz* al clímax una vez más.

Sus bocas se unieron en un eco de lo que hacían sus cuerpos, el sudor corriendo por su espalda mientras se enterraba en ella.

Sintió el clímax de Iris como si fuera el suyo y el placer lo hizo estallar con la fuerza del Vesubio. Asad gritó su triunfo mientras ella intentaba llevar aire a sus pulmones...

–Eres mía.

–Tan posesivo como siempre –murmuró Iris, aunque su tono no indicaba que la molestase.

–Soy un jeque beduino. ¿Qué esperas?

Ella sonrió.

–Nada más que lo que eres. Te lo prometo.

Asad asintió con la cabeza. Saber que ella entendía los parámetros de su relación debería complacerlo, pero a su parte más primitiva no le gustaba y no sabía por qué. Sin embargo, saber que Iris no le escondía nada, que no intentaba conseguir nada con su capitulación, tocó algo en su corazón que le hubiera parecido imposible unos días antes.

Iris lo conmovía cuando estaba seguro de que su corazón no podía ser conmovido.

Asad se tumbó de lado para quitarse el preservativo antes de abrazarla y, por primera vez en muchos años, se quedó dormido sintiéndose saciado y feliz.

Despertó horas después, cuando Iris intentaba saltar de la cama sin hacer ruido.

–¿Dónde vas?

–A mi habitación.

–No, *az...* –Asad no terminó la frase–. Este es tu sitio, florecilla.

–No, mejor no.

–Sí –insistió él.

Y se lo demostró tomándola entre sus brazos y haciéndola sollozar de placer.

Después, durmieron de nuevo, pero él la despertó de madrugada.

–¿Hora de que vuelva a mi cama? –preguntó Iris, adormilada.

No, maldita fuera. Si dependiese de él, no dormiría un segundo más en la otra habitación.

–Hora de darse un baño.

–Pero...

–Ven conmigo.

Asad la llevó a una cueva que no había visto antes, el sitio que Hanif le había regalado cuando se casó con Badra, la caverna privada del león de los Sha'b al-Najid.

Con una linterna en la mano, Asad la llevó por una serie de intricados pasadizos. Cada vez que tenían que girar a un lado o a otro, tomaba el camino marcado en la pared de roca con el dibujo de un pavo real hasta detenerse en una caverna de forma redondeada.

–Esta es la cueva de mi familia.

–Nawar no me la había enseñado.

Y tampoco Genevieve. No la sorprendía que el jeque tuviera su propio baño, pero aquello era increíble.

–Nawar no conocerá este sitio hasta que se case y solo si sigue con la tribu después de su boda.

–¿Y el resto de tu familia?

Asad pulsó un interruptor y la cueva se iluminó con una luz dorada.

–Solo mis abuelos y mis padres conocen su existencia. Fue el regalo de mi abuelo a mi abuela el día de su boda, su forma de compensarla por todo lo que dejaba atrás.

Iris contuvo el aliento, incapaz de creer lo que estaba viendo.

–¿Pero cómo...?

–Al principio, mi abuelo usaba antorchas para iluminarla, pero yo hice que instalasen paneles solares.

Iris no se refería a la luz, aunque también eso era sorprendente. Era la propia cueva, excavada en la montaña, lo que la tenía asombrada.

–¿Cómo pudo colocar esos mosaicos? –le preguntó, atónita, mirando aquel sitio que parecía un spa en la mejor ciudad europea.

La piscina interior, del tamaño de una gran bañera, estaba hecha de mosaicos, con un borde en el que sentarse cómodamente y meter los pies en el agua y una escalerilla de hierro forjado.

Las paredes de la cueva habían sido alisadas y cubiertas de mosaicos de colores, bancos de piedra para sentarse y estanterías de hierro forjado con toallas gruesas, albornoces y todos los lujos necesarios para el baño.

Incluso había una ducha a un lado, sin puerta o cortina, claramente para ser usada en privado.

–Esto es increíble.

Asad sonrió, con un brillo de orgullo en sus ojos de color café.

–Para un beduino con un título en Ingeniería, todo es posible.

–¿Tu abuelo es ingeniero? –preguntó Iris, sintiéndose como Alicia cayendo por la madriguera del conejo.

Asad asintió con la cabeza.

–Ya te dije que estudió en Europa. Muchas de las mejoras en el campamento fueran hechas por él.

–Es un hombre asombroso –asintió ella. Como su nieto.

–Sí, lo es.

–Pero actúa como si fuera un antiguo jeque del desierto, como si nunca hubiera salido de aquí.

–Porque de corazón es así. Pero es mucho más que eso.

–Como tú.

–Sí.

–Gracias por traerme a este sitio –Iris no entendía por qué Asad había decidido compartir el oasis privado de su familia con ella, pero la emocionaba que fuera así.

–Es lo que haría un buen amigo.

–Y tú estás buscando ese puesto.

–Eso parece –dijo Asad, como si también él estuviera sorprendido.

Iris sonrió. No le importaba que estuviera sorprendido si el resultado era aquel.

–Es un sitio maravilloso.

–Sí, lo es –Asad puso las manos sobre sus hombros–. Deberíamos aprovecharnos, ¿no crees?

–Desde luego que sí.

Iris se quitó la ropa y la dejó sobre un banco. Nunca había sido tímida con Asad, ni siquiera al principio, algo que siempre la había desconcertado. Había creído que él era el hombre de su vida y sabía que Asad despertaba en ella a una mujer que ningún otro hombre podía despertar.

–Preciosa –murmuró él, con esa voz ronca que conocía tan bien.

Antes la miraba todo el tiempo y no solo cuando estaba desnuda. Le gustaba mirarla dormir, o trabajar, estudiar... hacer cualquier cosa.

–¿Te gusta lo que ves?

–Tú sabes que sí.

–Tal vez deberías demostrármelo –lo retó Iris, sabiendo que podía robar un par de horas más de diversión.

–¿Necesitas más pruebas de lo deseable que te encuentro, florecilla? –le preguntó Asad, deslizando las manos por sus pechos, su vientre, entre las piernas.

Ella empezó a desnudarlo, con dedos temblorosos.

—Te necesito a ti.

Asad se puso serio, mirándola con una intensidad que la dejó sin aliento.

—Lo que siento por ti...

—Bésame... —Iris le ofreció sus labios.

Dejando escapar un gemido estrangulado, Asad se apoderó de su boca en un beso apasionado, saboreándola, dejando que ella lo saborease, devorándola como un hombre hambriento.

Iris tiró de su *thobe* y buscó sus labios de nuevo cuando la prenda cayó al suelo, enredando los brazos en su cuello y apretándose contra el torso masculino.

Había algo salvaje, primitivo, en aquel encuentro. Y saber que él estaba tan excitado como ella hizo que el deseo se convirtiera en un tornado sin control.

Sus jadeos llenaban el silencio de la cueva, perdidos el uno en el otro. Era parecido a lo que ocurría seis años antes, pero a la vez diferente, más fuerte, sus reacciones más primitivas que antes, como si hubieran dejado de contenerse.

Y a ella le encantaba.

Seis años después, Iris sabía más sobre lo que el sexo podía ofrecer y la vergüenza por sus propios deseos era una cosa del pasado. Sabía lo mágico que era y cuánto lo echaría de menos cuando se marchase de allí, de modo que disfrutó de cada segundo, de cada beso, de cada caricia.

El deseo que sentían el uno por el otro era más poderoso que nunca, aunque no lo hubiera creído posible. Habían hecho el amor unas horas antes pero, a juzgar por la urgencia de sus caricias, era como si aún no hubieran llegado al orgasmo.

Asad la empujó suavemente hacia la pared de mosaico y la levantó, colocando sus muslos en sus antebrazos, su sexo abierto para él. Pero esperó, como pidiendo permiso, hasta que Iris levantó las caderas hacia la punta de su miembro.

No le dolió cuando entró en ella con una salvaje embestida, pero sintió que la ensanchaba para acomodarlo, sintió cómo se deslizaba su miembro en su interior, llenándola como solo él podía hacerlo.

Asad entraba y salía de ella hasta que no podía pensar... apenas podía respirar. Era demasiado y no lo suficiente.

Cuando se apretó contra ella, empujando el hueso pélvico, Iris se rompió. Pero apenas se daba cuenta mientras gritaba de placer, su ardiente esencia llenándola.

Y, si sentía el absurdo deseo de no llevar un DIU, nadie tenía por que saberlo. Había creído renunciar a su sueño de tener una familia cuando Asad la dejó seis años antes y, si el sueño no estaba tan muerto como había creído, era una debilidad que podía perdonarse a sí misma.

Se quedaron así, apretados contra la pared durante largo rato, el único sonido el de sus jadeos, hasta que por fin Asad la llevó a la ducha y se lavaron el uno al otro con el oloroso jabón de jazmín.

–He olvidado ponerme un preservativo –dijo él entonces.

Iris se dio cuenta entonces de que no le había contado que llevaba un DIU.

–Imagino que estás sano –murmuró, sabiendo que los embarazos no eran la única preocupación en nuestros días. Estaba segura de que Asad no era una amante descuidado, pero había olvidado el preservativo sin saber que no podía quedar embarazada...

Él la miró, desconcertado.

—No tengo ninguna enfermedad venérea.

—No intentaba ofenderte, es una pregunta lógica.

—Yo diría que debemos tomar en consideración algo igualmente importante.

—No debes preocuparte por eso.

—¿Tomas la píldora? —le preguntó Asad, con cara de sorpresa.

Iris no iba a sentirse ofendida. Aunque la última vez que se acostó con un hombre fue con él. No había confiado en nadie desde entonces.

—No, es que llevo un DIU... ya sabes, un dispositivo intrauterino.

—¿Por qué?

—¿De verdad tenemos que hablar de esto?

—Sí, quiero saberlo.

—No podrías ser como otros hombres y fingir que esta parte de mi vida es un gran misterio, ¿verdad?

—No —respondió Asad, con sequedad.

—Antes tenía unas reglas muy dolorosas y mi ginecólogo recomendó que me pusiera un DIU. Considerando el tiempo que paso trabajando fuera de casa y en condiciones primitivas, es un alivio.

—¿Y eso no impedirá que tengas hijos algún día?

—Dudo mucho que vaya a ser madre, pero no porque no pueda quedarme embarazada. No hay riesgo de infertilidad —Iris hizo una mueca—. ¿Podemos hablar de otra cosa?

—Sí, claro.

—¿Trajiste a Badra aquí alguna vez?

Después de preguntarlo deseó haberse mordido la

lengua. Primero, porque naturalmente que habría llevado a Badra allí, la princesa había sido su esposa. Y segundo, porque no quería saberlo.

—No.

—¿Qué?

—Mi abuelo me enseñó este sitio el día antes de la boda, pero Badra insistió en casarse en el palacio de su padre.

—¿No era eso lo más tradicional? —le preguntó Iris. Pero ¿por qué no había llevado allí a su esposa cuando volvieron al campamento?

—Para el jeque de mi tribu, no. Incluso mis padres se casaron aquí.

—Pero ella quería casarse según las tradiciones de su familia.

—Quería retrasar en lo posible el momento de venir al campamento, aunque entonces yo no lo sabía. Y también me convenció para que fuéramos a Europa de luna de miel.

—Bueno, eso suena más o menos normal —comentó Iris.

—Nuestras tradiciones dictaban que la llevase al desierto para estar solos unos días, pero Badra se negó.

—No le gustaba ir de acampada, ¿eh? —intentó bromear Iris.

—No era la esposa adecuada para un jeque beduino. Además, durante nuestra noche de boda descubrí que Badra no era virgen.

Capítulo 10

ESO debió de ser una sorpresa para ti.

Y una sorpresa muy desagradable, además.

Ella sabía lo importante que era la virginidad para Asad. No lo sabía cuando empezaron a salir juntos, pero cuando le dijo que todo había terminado dejó bien claro que no podría haber un futuro para ellos porque ella no era virgen cuando se conocieron.

Su actitud le había parecido arcaica, por supuesto, pero su opinión no contaba y Asad se había alejado de ella para casarse con la no tan perfecta Badra.

–Y estaba embarazada.

–¿Nawar no es hija tuya? –exclamó Iris, perpleja.

–Es mía –respondió Asad, con fiereza–. Aunque no lleve mis genes, Nawar es mi hija en todos los sentidos.

–Pero es...

Increíble.

Y curioso también. La había rechazado porque no era virgen y, al final, ella era más virginal que la princesa.

Evidentemente, su matrimonio había sido un completo fracaso. Badra lo había engañado con otro hombre y Nawar había sido un simple peón en una unión llena de malas intenciones.

–Lo siento –le dijo. Y lo decía de corazón.

–No lo sientas. Lo único bueno de mi matrimonio con Badra es mi hija.

Iris se alegró de oír eso porque la hacía pensar que bajo el duro y seco exterior de Asad seguía estando el hombre que había sido su mejor amigo. Y que hubiera compartido ese secreto con ella demostraba que, a pesar del paso de los años, seguía viéndola como una persona de confianza.

–Nawar me dijo que tú le pusiste su nombre.

–Badra no tenía el menor interés en ser madre –dijo Asad–. Aunque entonces pensé que me permitía ponerle el nombre a la niña para que la sintiera hija mía, también me equivoqué sobre eso como me había equivocado en tantas cosas con ella. Al principio, pensé que la falta de interés de Badra por la niña era por la vergüenza de que fuera hija de otro hombre. Yo le decía continuamente cuánto quería a Nawar, que me daba igual que no fuese mi hija biológica...

–Eso es admirable –lo interrumpió Iris. Y no era algo que hubiese esperado de un hombre tan orgulloso como Asad. Ella lo había amado con todo su corazón, pero no estaba ciega a sus defectos... o eso había creído. Tal vez había estado más ciega de lo que pensaba.

–Yo no estuve a su lado durante el parto, como es la costumbre de nuestra gente, pero mi abuela me trajo a la niña cuando tenía menos de una hora. Y cuando miré su preciosa carita, me enamoré.

–Es muy afortunada de tenerte como padre.

–No, en realidad el afortunado soy yo –dijo Asad–. Le puse el nombre de Flor por una mujer más honrada y más sincera que mi esposa.

Iris dejó escapar un gemido.

–¿Por mí? Pero eso no es posible.

–Te aseguro que lo es. Aunque debo confesar que me di cuenta más tarde... pero también se dio cuenta Badra y te aseguro que se puso furiosa.

–Pero eso es... –Iris no sabía qué decir–. En fin, te agradezco que me veas como una persona honrada y sincera.

–Porque lo eres. Y por eso eres una buena amiga y una amante en la que puedo confiar.

La confianza que Asad mostraba en ella era la misma que había mostrado Iris por la noche, al contarle cómo había perdido su virginidad. Se le ocurrió pensar entonces que Asad no había sabido lo que perdería al dejarla o cuánto iba a echarla de menos y otro pedacito de su corazón curó al saber eso.

–Pero, a menos que quiera que un primo lejano ocupe mi puesto, tendré que volver a casarme –dijo él entonces.

No era algo que a Iris le hiciese ilusión escuchar, pero asintió con la cabeza.

–¿Y si Nawar hubiera sido un niño? –le preguntó.

–Hubiera sido el siguiente jeque de mi tribu. Ahora, el marido de Nawar podría ser mi sucesor. Lamentablemente, entre los beduinos aún no es aceptable que una mujer se convierta en líder.

–Ya, claro.

Asad quería a su hija y habría querido también a un hijo, aunque no fuera suyo. Esa era la clase de hombre que era, un hombre de honor. Aunque una vez ella hubiera pensado que no era así.

–Y la mujer con la que me case tendrá que aceptar a Nawar como hija.

–Naturalmente.

Parecía satisfecho con su respuesta, acostumbrado

por supuesto a que todo el mundo le diera la razón, pensó Iris sin poder evitar una sonrisa.

–¿Por qué sonríes?

–No es raro que lo haga.

–Hace seis años sonreías más.

–Yo podría decir lo mismo.

Asad se encogió de hombros.

–Las obligaciones de mi cargo.

Tal vez la traición de su esposa le había robado la alegría de vivir. Aunque Iris no esperaba que lo admitiese.

–Dijiste que Badra había muerto en un accidente de avión cuando iba con su amante. ¿Te dejó?

–No, viajaba con él varias veces al año.

–¿Y tú lo soportabas? –exclamó ella, atónita.

–Yo me encargaba de criar a Nawar, eso era lo único importante para mí. Badra me cedió la patria potestad de Nawar a cambio de recibir una cantidad económica durante cinco años. No teníamos ninguna relación y me habría divorciado de ella el año pasado. Ese era el acuerdo.

–De modo que renunciaste a cinco años de tu vida por ella –murmuró Iris–. Eres un hombre increíble.

–Me alegro de que lo pienses... pero no lo pensabas hace seis años.

–Después de que me dejases, no –reconoció ella–. Pero eso es el pasado y no quiero seguir hablando de ello.

–Como quieras –asintió Asad–. El presente es suficiente para mantenernos ocupados.

Iris estaba segura de que tenía razón.

–Te has acostado con él –dijo Russell, mientras terminaban de hacer las primeras mediciones.

–Calla –lo regañó Iris, mirando alrededor–. Además, no sé por qué dices eso.

–Por favor, Iris. Está ahí, en los ojos del jeque.

–¿Qué hay en sus ojos?

–Te mira con un anhelo... –Russell frunció el ceño–. Es una mirada que entiendo muy bien.

Iris apretó su brazo. Su exnovia lo había dejado sin darle una explicación y, aunque era algo de lo que nunca hablaban, sabía que le dolía.

–Te mira como si fueras suya, como retando a cualquiera que se atreva a acercarse a ti.

Ella soltó una carcajada, pero su ayudante estaba más serio que nunca.

–Yo que tú vigilaría mi corazón, Iris.

Esa era una advertencia que no necesitaba. Ella sabía bien lo peligroso que era Asad para su corazón.

–¿De qué te ríes? –le preguntó Nawar, que se había acercado a ellos con su padre.

Iris había pensado que ir con ellos iba a distraerla, pero aquel terreno montañoso era su hogar y Asad había estado dándole una lección de geografía mientras ellos preparaban el laboratorio portátil.

–Russell me ha hecho reír.

Asad la miró con expresión ceñuda.

–¿Ah, sí?

–¿Lo ves? –murmuró Russell.

–¿Qué tal estáis? ¿Aburridos? –siguió Iris, dándole un imperceptible codazo en las costillas.

–No, en absoluto –respondió Asad–. Pero creo que es hora de tomarse un descanso para comer y luego Nawar podrá echarse una siesta.

–¿Dónde?

Aunque allí no hacía tanto calor como en pleno desierto porque tenían la sombra de las montañas, no parecía un sitio demasiado fresco.

–Allí –respondió él, señalando un sitio tras ellos.

Iris vio que, mientras Russell y ella trabajaban, Asad había levantado una tienda de campaña con un toldo en la entrada.

–Eres un buen padre.

Él se encogió de hombros.

–No quería que tuviéramos que volver al campamento a toda prisa.

–Gracias.

–De nada.

Asad estaba mirando sus labios e Iris tuvo que hacer un esfuerzo para no besarlo allí, delante de Nawar y Russell. Afortunadamente, en ese momento la niña los hizo reír a todos intentando tirar de la enorme cesta de comida.

Después de comer, Asad llevó a su hija a la tienda y se colocó bajo el toldo con su ordenador, el jeque de los Sha'b al-Najid trabajando como un hombre moderno en medio del desierto.

Russell vio a Iris mirándolo y sacudió la cabeza.

–¿Qué?

–Estás fatal.

–Estuve fatal hace seis años, ya no.

–¿Ya no? Por favor... ese hombre está metido en tu corazón.

–No digas bobadas. No voy a enamorarme otra vez –Iris fulminó a Russell con la mirada, pero su ayudante no se dio por aludido–. Bueno, ya está bien de observaciones personales. Tenemos muchas cosas que hacer.

–Soy tu amigo, Iris. No voy a mentirte.

–Deja de meterte en mi vida o le diré a Genevieve que te gustan los saltamontes fritos para cenar –intentó bromear ella, aunque Russell nunca había estado más serio.

–A Genevieve le caes muy bien. Yo diría que espera que pronto formes parte de la familia.

–Russell...

No podía permitir que nadie pusiera ideas en su cabeza que le romperían el corazón una vez más.

–Bueno, está bien, me callaré.

A pesar de que habían empezado tarde, Iris y Russell tomaron muestras e hicieron las mediciones oportunas. Y los estudios preliminares indicaban que la minería podría estar en el futuro de Kadar.

Pero Iris no dijo nada sobre eso cuando el abuelo de Asad le preguntó a la hora de la cena qué tal había ido el trabajo. Russell estaba cenando con otra familia, aprovechando la oportunidad para experimentar la cultura beduina.

Y Iris no se quejó porque ella estaba donde quería estar. Además, no quería escuchar los comentarios de su ayudante.

Después de hacer el amor de madrugada, Iris apoyó la cabeza sobre el pecho de Asad, adormilada, saciada y feliz.

–¿Vas a ir con nosotros hoy?

–Por supuesto –respondió él–. Ya te dije que sería tu guía y tu protector durante el tiempo que estuvieras en Kadar.

–¿Y cómo es posible que tengas tanto tiempo libre?

Sería difícil para un empresario o un jeque... ¿pero cuando uno era ambas cosas?

–Llevaré mi ordenador y trabajaré como hice ayer.

–Ayer pasaste gran parte del tiempo entreteniendo a Nawar.

–Ella es mi alegría.

–Es una niña muy dulce, pero eso no responde a mi pregunta.

–¿Y qué pregunta era esa, *az*...?

Iris se dio cuenta de que había estado a punto de pronunciar la palabra prohibida, pero no dijo nada.

–¿Cómo puedes tener tiempo para estar pendiente de Russell y de mí? Podrías enviar a otra persona si crees que necesitamos ser vigilados, no tienes que hacerlo personalmente.

–Claro que tengo que hacerlo.

–Vamos, Asad. Ya has conseguido lo que querías, no tienes que seguir haciendo de enfermera.

–¿Y qué es lo que tengo?

Iris puso los ojos en blanco.

–A mí, aquí.

–Te tengo aquí, sí, pero también deseo otras cosas.

–¿Qué cosas?

–Que estés a salvo, para empezar.

–¿Russell y yo estamos en peligro?

–No todos los que pasan por estas montañas son tan honorables como los Sha'b al-Najid.

–Russell y yo no estamos trabajando en una zona de paso exactamente –dijo Iris. Estaban en la falda de la montaña, a horas del pueblo mas cercano, dos veces mas lejos de cualquier ciudad–. ¿Quién va a saber que hay dos geólogos occidentales haciendo prospecciones por aquí?

–Mucha gente lo sabe. Los rumores corren entre los beduinos como la arena durante una tormenta en el desierto.

–¿Y?

–Los menos peligrosos son los que buscan vuestro equipo por el dinero que podrían pagarles –Asad le tiró una túnica con capucha que pareció tragársela cuando se la puso.

–¿Y los más peligrosos? –preguntó Iris, intentando no sonreír al verlo tan paranoico.

–Mercaderes de esclavos.

–¿Qué?

–No te rías. La moderna esclavitud es una industria que mueve millones al año.

–Pero los delitos en Kadar son casi inexistentes.

–Hay excepciones –Asad frunció el ceño–. Y no quiero que tú seas una de ellas.

–Si tanto te preocupa, me extraña que llevases a Nawar.

Asad le puso las tradicionales babuchas.

–No pensarás que viajamos solos por esas montañas.

–Ayer lo hicimos.

–¿Tú crees?

–Yo no vi a nadie.

–Naturalmente. Mis guardias están entrenados para vigilar a distancia.

–Lo dirás de broma.

–¿Por qué iba a bromear sobre algo tan serio?

Pensar que había hombres escondidos y vigilándolos le producía escalofríos.

–¿Estás diciendo que hay una tropa de ninjas protegiéndonos?

–No son ninjas, Iris, son guerreros de la tribu Sha'b al-Najid.

–¿Sigue habiendo guerreros en tu tribu?

–Todos los hombres están entrenados para la guerra, es una tradición entre mi gente. Y una fuerza de élite se encarga de custodiar a mi familia.

Iris inclinó a un lado la cabeza, pensativa.

–Tu tribu es más rica de lo que había imaginado, ¿verdad?

–Mi familia lo es.

–Y tu familia ha aceptado hacerse responsable de los Sha'b al-Najid.

–Naturalmente.

–Asombroso –dijo Iris–. Badra era una idiota.

–¿Tú crees? –Asad se detuvo frente a ella, mirándola con sorprendente intensidad.

–Sí, lo creo. Te tenía a ti, tenía todo esto y aún quería algo más.

Él inclinó la cabeza para besarla, aunque no apasionadamente. Era un beso íntimo y rápido, casi amistoso.

–Me halaga que pienses así.

Ella intentó sonreír, aunque empezaba a preocuparse. Su corazón estaba curando poco a poco, ¿pero se rompería en mil pedazos cuando se fuese de Kadar?

Había pensado que podría olvidarse del amor, pero dos noches en la cama de Asad y ya tenía que buscar un salvavidas porque sentía que las emociones la ahogaban.

–Sería mas fácil para mí si te portases como el egoísta que he creído que eras durante todos estos años.

–¿Ya no me ves de ese modo?

Iris se encogió de hombros.

–Estoy empezando a pensar que ninguno de los dos conocía bien al otro.

–Tienes razón. Yo pensé que tenías más experiencia...

–¿Qué? ¿No te diste cuenta de que era inexperta? Me daba pánico que te aburrieras de mí y buscases a otra.

–La pasión que había entre nosotros era tan fiera... pensé que estabas tan abrumada como yo.

–Y así era.

–Pero con menos experiencia.

–¿Ahora te jactas de eso?

–No me hace falta. Tú piensas que soy el amante más extraordinario del mundo.

–Engreído.

–Niégalo.

–Sabes que no voy a hacerlo.

–No puedes –dijo Asad, enarcando una ceja.

–Idiota.

–¿Ese es un apelativo adecuado para el hombre que te hace tan feliz?

–¿Y para la mujer que te hace feliz?

–Tú no me permites que use la palabra.

–Ah, pobrecito.

Asad sacudió la cabeza.

–¿Sigues sin permitir que te llame «*aziz*»?

–Sigo sin permitirlo –respondió ella.

–Un día lo harás.

–No estaré en Kadar el tiempo suficiente.

Considerando la zona que el jeque Hakim le había pedido que estudiase, Iris estaría en Kadar como máximo un mes. Podría ser una exploración más profunda, pero el jeque había pedido solo un estudio preliminar, seguramente porque quería saber en qué zona debía hacer las prospecciones.

Aun así, Asad no parecía creerla.

–Ven conmigo a los baños e intentaré hacerte cambiar de opinión.

Capítulo 11

DURANTE las siguientes dos semanas, los días siguieron el mismo patrón que en la primera. Asad y Nawar los acompañaban en sus expediciones y, contra todo pronóstico, Iris disfrutaba como nunca haciendo su trabajo. A pesar de la invisible presencia de los guardias. Y siempre encontraban tiempo para enseñarle a Nawar cómo usaban el laboratorio portátil o para jugar un rato con la niña.

Iris estaba encariñándose con ella y no podía dejar de preguntarse cómo sería ser una verdadera familia.

A veces, le parecía que Nawar hacía lo mismo y eso la encantaba y la asustaba en la misma medida porque no quería que sufriera cuando tuviesen que decirse adiós.

Estaba enseñándole una roca particularmente original cuando Nawar dijo algo que la sorprendió.

—Mi papá dice que pronto tendré una nueva mamá.

—¿Ah, sí? —Iris tuvo que apartar la mirada.

La niña asintió solemnemente.

—Dice que ha llegado el momento y estoy muy emocionada. Mi papá dice que me va a gustar mucho.

—Me alegro.

—Yo también. Mi abuela dice que mi papá se siente solo. Mi mamá será su mujer.

–Claro –Iris pensó que iba a ponerse enferma–. Creo que es así como funcionan esas cosas.

–¿Crees que será un princesa como mi madre?

–No lo sé.

–Bueno, me da igual, no tiene que ser una princesa –Nawar la miraba con una expresión que Iris no podía entender, sobre todo teniendo que hacer un esfuerzo sobrehumano para sonreír mientras la niña destrozaba sus absurdas esperanzas.

–Seguro que sea quien sea, será una buena mamá.

–Le gustaré y jugará conmigo. Mi padre me lo ha prometido.

–Tu papá te quiere mucho.

–Y yo a él. Es el *más mejor*.

–Es un hombre maravilloso, sí.

Aunque estuviera haciendo planes para casarse con otra mujer mientras se acostaba con ella. Otra vez.

Iris se maldecía a sí misma por su estupidez y a Asad por su egoísmo, pero se mordió la lengua.

El gesto preocupado de Russell no ayudaba nada e Iris frunció el ceño, haciéndole un gesto para que no dijese una palabra.

Asad no le había hecho ninguna promesa y ella sabía dónde estaba, de modo que no podía culpar a nadie más que a sí misma.

Después de comer, Asad llevó a la niña a la tienda para que durmiese un rato y le pidió que diera un paseo con él.

–Tengo que trabajar y tú también –dijo Iris.

–De todas formas, vamos a dar un paseo –insistió Asad.

Decirle que no solo retrasaría lo inevitable, pensó ella.

–Tu hija me ha dicho que piensas volver a casarte. ¿Es cierto?

–Ya te dije que tendría que volver a casarme.

–¿Entonces es igual que hace seis años?

–No.

–¿En qué modo es diferente? Te acuestas conmigo mientras planeas casarte con otra mujer.

Asad la miró a los ojos, en silencio.

–No es eso.

–¿No? –repitió ella, irónica–. ¿No has elegido a otra mujer para que sea la madre de Nawar?

–No.

–Pero ella me ha dicho que piensas volver a casarte.

–No lo entiendes.

Iris lo miró, perpleja.

–No soy tonta, Asad.

–Solo ciega.

–Dejé de ser ciega hace seis años.

–Hace seis años el ciego era yo –replicó él.

–Sí, bueno, supongo que los dos aprendimos la lección.

–¿Ah, sí? Estoy empezando a preguntarme si eso es verdad. ¿Te duele que haya hecho planes de casarme con otra mujer?

Iris apartó la mirada. Una vocecita le preguntaba por qué no podía ser ella esa mujer. Y, por una vez, su analítico cerebro no parecía capaz de darle una respuesta. ¿Por qué no podía ser la madre de Nawar y la esposa de Asad?

Ella querría a esa niña como si fuera su madre biológica. Solo llevaban una semanas juntas, pero se identificaba con ella y la entendía perfectamente. Iris sabía lo que era ser abandonada por sus padres y jamás dejaría que Nawar pasara por eso.

Además, Asad y ella habían demostrado ser compatibles en la cama y fuera de ella. Habían sido y seguían siendo amigos. Sabían cosas el uno del otro que seguramente no sabía nadie más.

Entonces, ¿por qué no podía ser ella?

Iris no era una princesa árabe pero, en su opinión, eso no era un problema. Ni a Nawar ni a Asad les había ido bien con una princesa. Además, Genevieve tampoco lo era y, según Asad, era una de las personas más queridas por la gente de su tribu.

Desde luego, su abuelo no parecía haber necesitado una princesa y él tenía que saber que no necesitaba un pedigrí determinado, sino una persona que pudiese quererlo a él y a Nawar.

Iris lo quería, total, completamente. Había sido inevitable. Russell estaba equivocado; no había peligro de enamorarse por segunda vez porque nunca había dejado de amarlo.

Seis años antes se había rendido sin luchar, pero esta vez sabía que debía luchar por lo que quería ya que la posibilidad de que se lo arrebatasen estaba a la vuelta de la esquina.

Tenía que demostrarle que sería mejor esposa que cualquier otra mujer, como él podría ser el marido ideal para ella. Tal vez Asad no se daba cuenta de que la quería, pero no podía hacerle el amor como lo hacía sin sentir... algo.

Sabía cuánto le había costado dejarla y que nunca la había olvidado, incluso que le había puesto el nombre a su hija por ella. En su opinión, Asad sentía más de lo que creía.

Casarse con él podría significar dejar su trabajo en CC&B, pero vivir con los Sha'b al-Najid y explorar esa zona del mundo sería un sueño para un devoto geólogo.

Seis años antes, Asad no la había tomado en consideración como candidata a esposa, pero admitía haber estado ciego y eso significaba que ya no lo estaba.

Si eso era cierto, tenía unas cuantas semanas para abrirle los ojos al jeque. Ella había tardado veinticuatro años en dejar de buscar el afecto de sus padres y podía ser tan testaruda y decidida como cualquiera, aunque no lo supiera todo el mundo.

Pero era hora de que, al menos, Asad lo supiera.

Poco después llegaron a un altozano desde el que se veía una pradera en medio del desierto, como un pequeño oasis en el que retozaba un rebaño de cabras y camellos.

—Es un sitio precioso.

Asad no vivía en un palacio, pero su casa era uno de los lugares más bonitos del planeta.

—Sí, lo es —asintió él—. Vengo aquí a pensar y a preguntarme por las necesidades de mi gente.

—Verlo desde aquí hace que mantengas la perspectiva, ¿verdad?

—Me conoces tan bien —Asad se volvió para mirarla con un brillo alegre en los ojos.

—Me gustaría conocerte —dijo Iris, tomando su cara entre las manos—. Me gustaría mucho.

Él giró la cabeza para besar la palma de su mano.

—¿De verdad?

—De verdad.

—En cierto modo, tú me conoces mejor que nadie.

—¿Ninguna otra amante ha descubierto tus secretos?

–No –respondió Asad–. Y tú no los conoces todos, aún no.

–Tal vez podrías contarme un secreto ahora mismo.

Él esbozó una sonrisa.

–Pensé que los dos teníamos trabajo.

–Mi trabajo puede esperar un poco. ¿Y el tuyo? –Iris se puso de puntillas para besar sus labios.

–Sí, mi paloma. Por ti, todo puede esperar –respondió él.

Iris se tomó su tiempo para quitarle la ropa, con caricias y besos intermitentes hasta que lo tuvo desnudo frente a ella, su jeque beduino.

Luego se quitó la ropa mientras él la miraba, su erección tan urgente que casi era paralela a su estómago. Habían hecho el amor por la mañana, pero estaba claro que algo lo excitaba mucho...

Entonces se dio cuenta de que era la primera vez que ella iniciaba el encuentro desde que renovaron su intimidad. Aparentemente, le gustaba esa femenina agresión...

–Te deseo –murmuró.

Lo vio temblar, las aletas de su nariz abriéndose mientras alargaba una mano para pasarla por su miembro.

Cada vez que se acostaban juntos, Asad le hacía el amor con la boca e Iris decidió hacer lo mismo. Eso era algo que había aprendido con él: si los dos disfrutaban, cualquier cosa que hicieran era maravillosa.

Le gustaba cómo cerraba los ojos cuando lo tomaba en la boca. Sentía que era suyo en ese momento, fuera cual fuera el futuro.

Iris iba a arrodillarse delante de él, pero Asad se lo impidió.

–¿Por qué?

–Vas a hacerte daño con las piedras.

–No soy tan floja –intentó bromear ella.

–Doblaremos la túnica para que la pongas bajo tus rodillas.

Iris sonrió al darse cuenta de que estaba intentando cuidar de ella.

–Muy bien.

Unos segundos después, estaba donde quería estar, sujetando su miembro con la mano.

–Hoy eres mío.

–Normalmente, no eres tan posesiva –murmuró Asad.

Iris levantó la mirada.

–Tú no sabes lo que pasa por mi cabeza cuando hacemos el amor.

–Tal vez debería saberlo.

Sonriendo, ella se inclinó para rozar la punta de su miembro con los labios. Enseguida lo oyó gemir y cuando empujó las caderas hacia delante volvió a hacerlo. Le gustaba ese juego, lamerlo y acariciarlo con los labios pero sin tomarlo en su boca.

Después de unos minutos, Asad masculló una maldición.

–Me estás volviendo loco.

–¿Ah, sí?

–Se me van a doblar las rodillas antes de que termines.

–Pobre jeque... tiene las rodillas débiles.

Iris sonrió mientras seguía acariciando su miembro con los labios. Nunca podía tomarlo entero porque era demasiado grande, pero no tenía que hacerlo y cuando Asad le advirtió que estaba a punto de terminar, Iris se apartó y terminó el trabajo con la mano.

Le gustaba ver su cara cuando llegaba al clímax. El éxtasis que veía en su expresión siempre la había excitado y conmovido...

Asad susurró su nombre con tono reverente mientras eyaculaba como un géiser. No estaba dentro de ella, pero Iris sentía como si sus almas se conectasen en ese momento.

–Gracias –dijo con voz ronca, sus ojos devorando el cuerpo desnudo arrodillado frente a él.

Iris besó la brillante punta de su miembro y luego se pasó la lengua por los labios.

–Me gusta –murmuró.

–Eres una amante muy generosa.

No, sencillamente lo amaba. Algún día lo entendería, pero no pensaba decírselo en ese momento.

Iris dejó que tirase de ella para levantarla del suelo.

–Menos mal que mi capacidad de recuperación es mayor que la de un hombre normal.

–No esperaría nada menos del león de los Sha'b al-Najid.

Capítulo 12

CÓMO sabes que me llaman así?

–Tu nombre significa «león» y hay un león bordado en la colcha de tu cama. No ha sido tan difícil –bromeó Iris.

–Te lo ha dicho mi abuela, ¿verdad?

–Me dijo que ese nombre había pasado de Hanif a ti cuando te hiciste cargo de la tribu.

–Mi abuelo sigue siendo un hombre muy fuerte.

–Pero ya no es el protector de la tribu.

–No, ese honor recae ahora sobre mí.

–Sí, lo sé. Como recae en mí el honor de darte placer –dijo Iris, apretándose contra él.

–Entonces debe recaer en mí el honor de darte placer a ti.

Iris no tenía la menor intención de protestar.

Asad hizo una cama en el suelo con la ropa, pero insistió en que ella se pusiera encima. No era su postura favorita, pero él apretó sus caderas para ayudarla a moverse arriba y abajo.

–Eres tan preciosa, tan apasionada. Mi paloma...

Se besaban continuamente para esconder los gritos de placer y, cuando llegaron al final, sus cuerpos temblaron al unísono.

–Esto me gusta –dijo Asad–. Al aire libre, con mi tierra alrededor, mi gente atendiendo a los rebaños.

Cuando volvieron al campamento móvil, Russell

les dijo que Nawar seguía durmiendo la siesta. Iris fue a verla de todas formas y cuando salía de la tienda chocó con Asad.

–¿Querías comprobar que no había despertado?

–Podría haberse asustado al ver que no estábamos aquí... que tú no estabas aquí.

–Pero está bien.

–Sí, está bien.

Asad sonrió, mostrando sus blancos dientes.

–Cuando era más pequeña, yo entraba en su habitación todas las noches y ponía una mano en su pecho para comprobar que respiraba.

–Seguramente yo habría hecho lo mismo –dijo Iris.

–Sí, creo que lo habrías hecho –asintió él, levantando una mano para acariciar su mejilla–. Serías una madre maravillosa.

Desgraciadamente, Russell rompió el hechizo diciendo que tenían que tomar unas mediciones.

Sintiéndose culpable por abandonar su trabajo, Iris iba a ir tras él, pero Asad la tomó por la muñeca.

–Me alegro de que estés aquí.

–Yo también –dijo ella. Y lo decía de corazón.

Solo esperaba que siguiera pensando lo mismo en unas semanas, cuando llegase el momento de marcharse. Porque, si Asad no le pedía que se quedase..., no sabría qué hacer.

El móvil de Asad sonó cuando estaba frente al ordenador, mientras Iris y Russell trabajaban en su laboratorio portátil.

–Hola, Hakim.

–¿Cómo va el proyecto Iris?

—¿Qué quieres decir?

—Venga, hombre. Tú insististe en traer a esa geóloga aquí... ¿crees que no sé que hay algo entre vosotros?

—Quería ayudarla en su carrera.

Y tal vez también la quería de vuelta en su cama, pero de repente... quería más.

Esa certeza había crecido con cada día que pasaba.

Estar con ella era maravilloso y, además, Iris era estupenda con Nawar. Sería una madrastra fantástica porque entendía lo que era ser rechazado y jamás le haría eso a un niño.

—Tal vez haya algo más.

Asad le había hablado a su primo de su antigua relación con Iris, confesándole su sentimiento de culpa por romper con ella, pero empezaba a preguntarse si Hakim había visto algo que él no había sido capaz de ver.

—Tal vez.

—¿La has convencido para que se quede?

—No lo sé —respondió Asad. Le gustaría que fuera así, pero el objetivo de su *aziz* parecía ser confundirlo.

—Tú mereces una mujer que te tenga siempre pendiente de ella, así que me alegro de que hayas encontrado a Iris. ¿Has cambiado de opinión sobre el amor eterno desde la última vez que nos vimos?

—¿Qué eres, un chismoso? ¿Ahora quieres hablar de sentimientos?

En lugar de mostrarse ofendido, el jeque Hakim soltó una carcajada.

—¿Por qué estás tan nervioso, Asad?

—No estoy nervioso. Es que no me permite que la llame «*aziz*».

—Al principio, a Catherine tampoco le gustaba que

usara términos cariñosos porque pensaba que no lo decía de corazón.

—Pero era así, ¿no?

—Sí, aunque tardé algún tiempo en darme cuenta. ¿Te has dado cuenta tú?

—Nunca he oído a mi abuelo decirle a mi abuela que la quiere, pero su matrimonio es más duradero que las montañas.

Y Asad querría seguir toda la vida sin tener que mostrarse tan vulnerable... mientras eso no significase perder a Iris.

—Tú no sabes lo que le dice en privado —observó Hakim—. Pero, sobre todo, él nunca le ha dado a la tía Genevieve causa alguna para dudar de él. Mi estimado tío abuelo trata a su mujer como si fuera la reina del universo y siempre ha sido así.

—Yo he hecho todo lo que estaba en mi mano para tratar a Iris con afecto desde que llegó a Kadar. He dejado de trabajar en mi oficina, he cancelado reuniones con socios importantes y políticos...

—¿Y ella lo sabe?

—Naturalmente que no —respondió Asad. No quería que Iris se sintiera mal por eso.

—¿Y cómo va a saber que se ha convertido en la reina de tu universo si no se lo dices?

—No he dicho que sea mi reina.

—Va a ser la señora de los Sha'b al-Najid. Quieres que sea tu esposa.

—¿Y si ella no quisiera?

—¿Quieres perderla otra vez?

—No, claro que no —respondió Asad. Esa era una de las pocas cosas que tenían absolutamente claras.

—Entonces, tienes que convencerla para que se quede en Kadar.

–Estoy haciendo todo lo posible –replicó Asad, exasperado–. Es más que receptiva a mis caricias, adora a mi hija y a mis abuelos...

–¿Pero no estás seguro de que te quiera a ti? –le preguntó Hakim

Asad frunció el ceño.

–¿Eso importa?

–Dímelo tú.

–¿Qué sugieres que haga?

–Dile la verdad, que la trajiste a Kadar con la intención de convencerla para que se quedase.

Pero ni siquiera él sabía que eso era lo que estaba haciendo cuando la llevó allí. Como no había sabido hasta después de hacerlo que le ponía a su hija el nombre de Nawar, «flor», por Iris.

–Ella ya sabe que la traje aquí.

–¿Y sabe que las tierras que está estudiando pertenecen a tu familia?

–Iris no tiene interés en mis posesiones materiales. Ella no es así.

–En mi opinión, sería mucho mejor esposa que Badra.

–Badra nunca fue mía –dijo Asad.

–Y tú nunca fuiste suyo –añadió Hakim.

La verdad de esa afirmación lo dejó sorprendido.

–La amo –murmuró. Su corazón y su alma pertenecían a la joven y estudiosa geóloga desde siempre–. Siempre la he amado.

–¿Y acabas de darte cuenta?

–No es algo en lo que haya pensado nunca...

Hasta que no tuvo más remedio que hacerlo.

–Catherine diría que eso es algo que deberías contarle a Iris, no a tu primo.

–Tienes razón.

No era fácil admitirlo, pero había estado más que ciego cuando se trataba de sus sentimientos por Iris. De haber tenido un poco mas de sentido común no la habría dejado nunca y eso era algo que ella debía saber.

Había rechazado a la mujer de la que estaba enamorado por orgullo, por testarudez. Y había pagado un precio muy alto por ello desde ese día.

¿Pero y si Iris ya no lo amaba?

No lo había dicho desde que se reencontraron en Kadar, ni una sola vez, por asombrosos que fueran sus encuentros en la cama. Iris insistía en no permitir que la llamara «*aziz*», «querida mía»...

Estaba a punto de terminar con su prospección y en cuanto así fuera se iría de Kadar. Jamás había dicho nada que lo hiciera pensar que tenía intención de quedarse. ¿Y qué derecho tenía él a pedirle que dejase el trabajo que tanto amaba, su vida, su país?

¿Qué podía ofrecerle a cambio? Su hija, su familia, su tribu... si Iris no los amaba tanto como él, no sería suficiente.

¿Habría sentido su abuelo ese miedo cuando le pidió a Genevieve que se casara con él?

Pedirle a una mujer occidental que compartiese el mundo de los beduinos no era fácil. Y, después de su experiencia con Badra, Asad se había dado cuenta de que su abuela era una excepción.

Pero eso debería darle esperanzas porque Iris era única, especial en todos los sentidos.

Iris terminó una de sus últimas pruebas, confirmando la presencia de metales semipreciosos en la zona, cerca de donde Asad y ella habían hecho el amor. Pero imaginar grúas excavando en aquella zona tan hermosa hacía que se le encogiera el estómago.

Las pruebas preliminares demostraban la existencia de rodio, un raro y precioso metal, y también la probable existencia de óxido de aluminio y óxido de cromo, rubíes para los profanos, enterrados en las montañas de Kadar.

Cuando se lo dijo a Russell, su ayudante frunció el ceño.

—A tu novio no le gustará saber eso.

—¿Por qué? ¿Crees que esperaba que encontrásemos diamantes?

—Creo que no esperaba que encontrásemos nada importante. ¿No has hablado con él? —Russell parecía preocupado.

—No —respondió Iris. Hablaban de su trabajo, de su hija, pero no habían hablado de la prospección—. Mi deber es informar a la persona que nos ha contratado, el jeque Hakim.

—Ah, muy profesional por tu parte.

—No te hagas el gracioso. Es más difícil llevar una relación profesional y personal de lo que yo había imaginado.

—Pero pasas todas las noches con él y su familia. ¿Ninguno de ellos ha mencionado lo que Asad piensa sobre el asunto?

—El tema no ha salido nunca.

—Pero hablas de tu trabajo, ¿no?

—Sobre mi carrera como geóloga, sí, pero no de esta prospección en particular.

Nunca le había preguntado qué opinaba sobre excavar allí, pensando que su opinión sería favorable. Al fin y al cabo, había sido él quien la llevó a Kadar.

–El jeque Asad es uno de los líderes conservacionistas de Oriente Medio y se opone a la minería cuando daña el ecosistema –dijo Russell entonces.

Iris lo miró como si le hubieran salido dos cabezas.

–¿Lo dices en serio?

–Absolutamente. Es portavoz de una organización que se dedica a preservar el habitat del desierto y, con él, la forma de vida de los beduinos.

Iris no podía creerlo. ¿Por qué no le había dicho que se oponía a que excavaran en sus tierras?

Y, si se oponía, ¿por qué había hecho que la llevasen allí, ofreciéndose como contacto y guía?

–No pensarás... –Russell no terminó la frase.

–¿Qué? Dímelo.

–No te enfades, pero estaba pensando que tal vez decidió influir en la geóloga responsable de la prospección para que su primo no siguiera adelante con la idea –dijo Russell, incómodo.

A Iris no le hizo la menor gracia escuchar eso. ¿Sería Asad tan manipulador? Su corazón le decía que no, pero su cerebro le recordaba que podía ser implacable cuando se marcaba un objetivo.

Tenía que hablar con él, decidió.

Estaban en el baño privado de su familia esa noche, después de meter a Nawar en la cama, cuando Asad dijo:

–Pronto terminarás con las pruebas.

–Solo queda un sitio en el que hacer las prospecciones.

–Es un sitio muy remoto y tener que desplazarse allí todos los días sería muy fastidioso. Lo mejor sería acampar.

–Desde luego –murmuró ella, pensando en su conversación con Russell.

–Nawar debería quedarse en el campamento.

–Pero tardaremos casi una semana en extraer muestras y hacer las mediciones.

–Se quedará con sus abuelos.

–Te echará de menos.

–Y a ti también.

Iris esperaba que así fuera porque también ella echaría de menos a la niña.

–¿Por qué no puede ir con nosotros? Podríamos llevar a Fadwa para que cuidase de ella.

–En nuestro campamento hay facilidades que no encontraremos en las montañas. No quiero hacerla pasar por eso.

–¿No me digas que un jeque beduino teme acampar con su hija en las montañas?

–Sencillamente, no quiero que Nawar te robe tiempo. Mi hija no se contenta con ser ignorada.

–No, claro que no. Y tiene derecho a esperar nuestra atención.

–Pero tu trabajo...

–No te preocupes por eso, Nawar no me distrae demasiado. Además, me gusta tenerla cerca.

–¿De verdad?

–Claro.

–Pero últimamente has repetido varias veces que pronto te irás de Kadar. Pensé que te habías cansado de nosotros.

–No he venido aquí para vivir, Asad. Vine por mi trabajo.

Y solo se quedaría si eso significaba ser alguien

permanente en su vida, no como compañera de cama ocasional.

–Tal vez hayas venido a vivir, pero aún no lo sabes –comentó él.

El corazón de Iris se aceleró. Esa frase parecía implicar algo importante, pero necesitaba que lo dijese claramente. Y también necesitaba que le hablase de su papel en esa organización para la conservación de la naturaleza que había mencionado Russell.

–No me habías dicho que eras el portavoz de Nuestra Casa, el Desierto.

Esa tarde había entrado en Internet y había descubierto que la organización fue fundada por Asad y su abuelo poco después del nacimiento de Nawar. No eran militantes o extremistas en absoluto, pero Russell tenía razón, su postura sobre las excavaciones en el desierto estaba bien clara.

–No sabía que eso te interesara.

–¿Cómo no va a interesarme? –exclamó Iris–. Creo que he dejado claro que todo lo que tenga que ver contigo me interesa. Además, estoy haciendo una prospección para comprobar el valor geológico de estas tierras...

Asad se encogió de hombros.

–Hay otras cosas de las que me gustaría hablar contigo esta noche.

Si no lo conociera bien, pensaría que estaba nervioso.

–Primero, hablemos de esto. ¿Has convencido al jeque Hakim para que pidiese una prospección geológica dirigida por mí esperando influir en mi informe?

Asad la miró como si no entendiera lo que había dicho...

–¿Crees que te he traído aquí para que mintieras? –exclamó luego, con voz de trueno.

–No, la verdad es que no lo creo –respondió ella. Pero quería oírlo de sus labios. Necesitaba escuchar esas palabras como necesitaba escuchar otras que cambiarían su vida.

–¿He hecho o dicho algo para desanimarte? ¿Para que no contases la verdad sobre tus descubrimientos?

–Ya te he dicho que no, Asad.

–¿Entonces por qué me haces esa pregunta?

–Porque necesitaba oírlo.

Él la miró en silencio durante unos segundos.

–Hakim dijo que lo harías.

–¿El jeque Hakim cree que tengo dudas sobre tus motivos para traerme a Kadar?

Asad negó con la cabeza.

–Él cree que debería contarte los verdaderos motivos para traerte a Kadar.

–¿Y cuáles son?

–Quería ayudarte en tu carrera, pero también quería algo más... aunque al principio no me di cuenta –el rostro de Asad estaba encendido y no era por el calor–. Hace seis años cometí el mayor error de mi vida al alejarme de ti. Me casé con Badra, pero debes saber que nunca he dejado de amarte.

–¿Me querías? –murmuró ella, tan sorprendida que apenas podía respirar.

–Sí, pero fui un idiota. Tenía un plan en mi cabeza y no se me ocurrió que...

–Me querías –repitió ella.

–Te quería y te quiero –Asad la tomó por los hombros–. Te quiero tanto que no entiendo cómo he podido no darme cuenta. Pero ahora lo sé, eso tiene que contar para algo.

–Sí, sí... claro que sí.

–Te hice daño.

–Me rompiste el corazón.

–Pero tú eras tan fuerte, mucho más fuerte que yo. No creo que pudiera sobrevivir si me rechazases, Iris.

–¿Qué es lo que quieres? –le preguntó ella, en voz baja, su tonto corazón albergando esperanzas–. Dímelo.

–Una madre para mi hija, una líder para mi gente, una esposa para mí.

–¿Me estás pidiendo que me case contigo?

En lugar de responder, Asad la sacó de la piscina y, después de envolverla en un albornoz y atarse una toalla a la cintura, clavó una rodilla en el suelo.

La miraba con tal intensidad que Iris podría ahogarse en sus ojos.

–¿Quieres unir tu vida a la mía hasta que la arena desaparezca del desierto?

Iris quería responder, pero tenía el corazón en la garganta... o al menos eso parecía porque no podía pronunciar una sola palabra.

–Debo decirte por qué –siguió Asad–. Tú eres mi *aziz*, siempre lo has sido. Te quise hace seis años, pero fui demasiado tonto como para darme cuenta. Y te sigo queriendo. Mi orgullo y mi ceguera nos ha hecho mucho daño a los dos, pero quiero que sepas que no he vuelto a acostarme con otra mujer desde que nació Nawar.

–¿Has sido célibe durante los últimos cuatro años? –exclamó Iris, incrédula.

Él asintió con la cabeza.

–Solo me acosté con mi mujer en un puñado de ocasiones antes de eso.

–¿Por qué?

–Porque tú estabas en mi corazón –Asad apartó la mirada un momento, pero luego volvió a mirarla a los ojos, decidido–. Después de la traición de Badra me decía a mí mismo que no podía confiar en las mujeres, pero la culpa no fue de ella, sino mía. Me dejé manipular como un crío. Por eso me marché cuando debería haberme quedado contigo para siempre.

–No te diste cuenta...

–No quería admitirlo, pero eres tú a quien he querido siempre. No sabía cómo recuperarte, Iris.

Y se lo había escondido a sí mismo porque no era capaz de admitir lo que sentía, pensó ella. Tal vez porque se había pasado la vida escondiendo que necesitaba a sus padres cuando ellos habían elegido vivir en otro sitio. No sabía si Asad lo admitiría algún día, pero a partir de aquel momento ella se encargaría de que no le faltase su amor.

Porque no iba a rendirse como había hecho seis años antes.

Era hora de admitir la verdad.

–Yo te dejé ir. No luché por ti... por nosotros.

–Yo no te di oportunidad.

–Podría haberte pedido que te quedases, haber luchado por ti, pero preferí quedarme en casa lamiendo mis heridas. Estaba demasiado acostumbrada a no tener el amor de las personas que me importaban, pero no voy a tolerar eso nunca más.

–Me alegro –dijo Asad.

Iris apartó una lágrima que rodaba por su mejilla.

–Me quieres de verdad.

–Con todo mi corazón. A pesar de mi orgullo y mi ceguera, Dios me ha dado una segunda oportunidad y no voy a desaprovecharla, si tú me lo permites.

–Sí –murmuró Iris, arrodillándose frente a él para besarlo–. Yo también te quiero... te quiero tanto. No quería volver a Estados Unidos, solo quería quedarme aquí contigo y con tu hija.

–Nunca volveremos a separarnos.

–Pero mi trabajo...

–Hay otras opciones para un geólogo en esta zona del mundo.

–Sí, lo sé.

–¿Las tomarías en consideración?

–Por supuesto. No quiero alejarme de ti y de Nawar.

–Eres perfecta para mí –dijo Asad.

–Somos perfectos el uno para el otro.

–Seguiré amándote hasta que no haya estrellas en el cielo, *aziz*.

–Demuéstramelo.

Y Asad lo hizo. Magníficamente.

Epílogo

IRIS descubrió que Asad era el propietario de las cuevas en las que se habían hallado los manantiales y, por consiguiente, las tierras y los derechos minerales de toda la zona.

Estaba explorando la posibilidad de excavar con mínimo impacto medioambiental, pero solo si eso beneficiaba a los Sha'b al-Najid. Como le había dicho más de una vez, era un hombre que pertenecía a dos mundos, el antiguo y el moderno. Veía la necesidad de excavar para beneficio de su gente y del resto de Kadar, pero solo si los beneficios eran mayores que los inconvenientes.

Iris invitó a sus padres a la boda, pero la pareja tenía otros planes y, por primera vez en su vida, eso no le provocó un disgusto. Porque tenía un montón de parientes. Asad le había legado a toda su familia el día que pidió formalmente su mano.

Russell acudió con otra colega, estudiante de geología, que compartía su sentido del humor. Parecían enamorados e Iris se alegraba mucho por ellos. Darren y su familia acudieron también a la boda y fue una sorpresa porque ella no los había invitado.

Cuando le preguntó a Asad, él le dijo que ese hombre era su amigo y, por lo tanto, bienvenido en su casa. Aun así, Iris no sabía cómo reaccionaría al verlo, pero Darren le dijo que el jeque había sido el anfitrión perfecto.

Después de todo, el jeque Asad era el león de su tribu. No tenía necesidad de destrozar a otro hombre para demostrar su valor.

Y jamás la dejó olvidar el suyo. La quería tan completa, tan intensamente que Iris no lo dudó nunca.

Bianca

**Su romance era tórrido...
¡y tuvo consecuencias escandalosas!**

EL VIAJE DEL DESEO

Julia James

Durante un viaje de trabajo, la responsable heredera Francesca Ristori se asombró de haberse dejado llevar por el irresistible deseo que le inspiraba el magnate italiano Nic Falcone. Nic no era como ningún hombre que hubiera conocido antes y sus ardientes caricias la excitaban sobremanera... Pero Francesca creía que solo podía ser algo temporal y que debía regresar a su vida de aristócrata. ¡Hasta que descubrió que estaba embarazada del multimillonario!

¡YA EN TU PUNTO DE VENTA!

Acepte 2 de nuestras mejores novelas de amor GRATIS

¡Y reciba un regalo sorpresa!

Oferta especial de tiempo limitado

Rellene el cupón y envíelo a
Harlequin Reader Service®
3010 Walden Ave.
P.O. Box 1867
Buffalo, N.Y. 14240-1867

¡Sí! Por favor, envíenme 2 novelas de amor de Harlequin (1 Bianca® y 1 Deseo®) gratis, más el regalo sorpresa. Luego remítanme 4 novelas nuevas todos los meses, las cuales recibiré mucho antes de que aparezcan en librerías, y factúrenme al bajo precio de $3,24 cada una, más $0,25 por envío e impuesto de ventas, si corresponde*. Este es el precio total, y es un ahorro de casi el 20% sobre el precio de portada. !Una oferta excelente! Entiendo que el hecho de aceptar estos libros y el regalo no me obliga en forma alguna a la compra de libros adicionales. Y también que puedo devolver cualquier envío y cancelar en cualquier momento. Aún si decido no comprar ningún otro libro de Harlequin, los 2 libros gratis y el regalo sorpresa son míos para siempre.

416 LBN DU7N

Nombre y apellido	(Por favor, letra de molde)

Dirección	Apartamento No.

Ciudad	Estado	Zona postal

Esta oferta se limita a un pedido por hogar y no está disponible para los subscriptores actuales de Deseo® y Bianca®.
*Los términos y precios quedan sujetos a cambios sin aviso previo.
Impuestos de ventas aplican en N.Y.

SPN-03   ©2003 Harlequin Enterprises Limited

DESEO

¿Se sometería a las reglas del juego de su jefe?

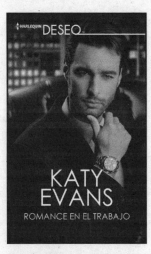

Romance
en el trabajo

KATY EVANS

«Ahora las reglas las pongo yo», le dijo Kit Walker, el jefe nuevo. Pero la que mandaba era Alexandra. ¿Quién pensaba Kit que era? El heredero acababa de llegar y ya quería mandar, pero si Alexandra lo sorprendía comportándose mal, su padre lo desheredaría. Parecía fácil, ¿no? No cuando la química entre ambos era irresistible. Ironías del destino, tenían que desarrollar una aplicación de citas juntos. ¿Podría ser él la pareja perfecta? ¿O tal vez el escándalo perfecto?

¡YA EN TU PUNTO DE VENTA!

Bianca

Seducida por placer...
Reclamada por su hijo

CELOS DESATADOS

Chantelle Shaw

Sienna sabía que era un error asistir a la boda de su exmarido, pero sentía curiosidad por ver a la novia por la que Nico la había sustituido. ¡Pero el novio no era Nico!

Avergonzada, Sienna intentó huir, pero no consiguió escapar de la iglesia lo bastante deprisa. Cuando Nico le dio alcance, la ardiente pasión que los había consumido en el pasado se reavivó con igual intensidad, y Sienna acabó pasando una última noche en la cama de Nico...

¡Una noche que la dejó embarazada del italiano!

¡YA EN TU PUNTO DE VENTA!